唉唷！這些惱人的小麻煩：輕鬆搞懂疫苗、流感、細菌與病毒

黃瑽寧／著

Contents

推薦序……008
前言……011

第1章 微生物——這些惱人的小傢伙們
1. 第一課：大家比一比……016
2. 細菌是什麼東西？……022
3. 病毒像愛人……028
4. 給你一封情書：談感染途徑……031

第2章 喉嚨痛死了啦——咽喉腔的細菌與病毒
1. 每個人都經歷過的喉嚨發炎……038
2. 蛇蠍美人：A型鏈球菌……042
3. 嘴巴長泡泡：腸病毒和人類疱疹病毒……046

第3章 哈啾！咳咳——呼吸道的細菌與病毒

1. 一號鐵雄：肺炎鏈球菌……054
2. 二號大明：流感嗜血桿菌……060
3. 驚奇四超毒：腺病毒、流感病毒、呼吸道融合病毒、副流感病毒……063
4. 我不是黴菌！我是黴漿菌……070
5. 著涼真的會感冒嗎？……075

第4章 別在我的肚子裡搞怪——腸胃道的細菌和病毒

1. 遊走於各種動物之間：沙門氏菌感染……082
2. 小心誤診被抓去開刀：彎曲桿菌……088
3. 一樣吐與瀉：輪狀病毒與諾羅病毒……091

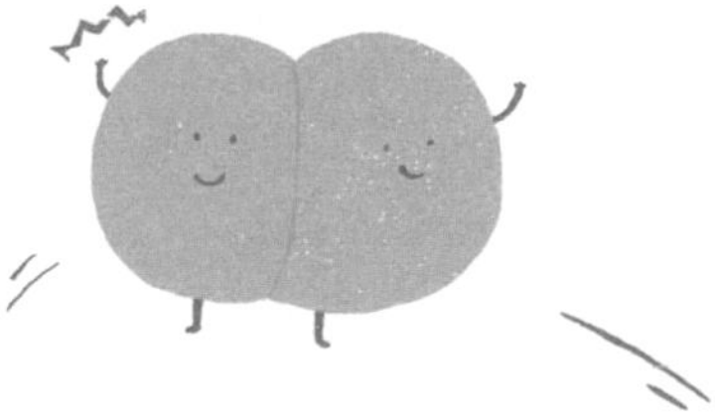

第5章 分出青紅皂白——皮膚上的細菌與病毒

1. 史上最籠統診斷：什麼是病毒疹？……098
2. 疔疔瘡瘡：討厭的金黃色葡萄球菌……101
3. 伺機而動的古老疾病：麻疹……106
4. 不是新一點靈：B19微小病毒……110

第6章 生命中不可承受之重——其他重要細菌與病毒

1. 新生兒的第一個威脅：B型鏈球菌……116
2. 春季殺手：腦膜炎雙球菌……119
3. 登革熱：骨痛熱症……124
4. 從EB病毒談青少年性病……130

第7章 你也可以成為流感專家——流感病毒懶人包

1. 常見流感ＦＡＱ……136
2. 一分鐘搞懂Ｂ型流感……145
3. 深度聚焦：兒童與流感大有關係（專業版）！……150
4. 預防流感必備十招……163

第8章 不花一毛錢，打造黃金免疫力

1. 就這麼簡單，打造孩子黃金免疫力……170
2. 洗手！洗手！再洗手！……183

第9章

誰知疫苗情，針針皆辛苦——家長需要知道的疫苗知識

1. 五S方法，減輕寶寶打預防針的疼痛……190
2. 流感疫苗，為誰打？……193
3. 看懂疫苗安全的兩大門道……197
4. 三種新疫苗：肺炎鏈球菌、輪狀病毒、人類乳突病毒……202
5. 保護孕媽咪：德國痲疹疫苗的時效性……213
6. 蛋蛋出頭天：雞蛋過敏終於可以接種流感疫苗……216
7. 一位醫師引發的疫苗醜聞……220

第10章 黃醫師的叮嚀

1. 抗生素的歷史與哀愁……228
2. 我家小孩老是被開抗生素……233
3. 醫生，你這麼想割我的扁桃腺嗎？……238
4. 懷孕生子時養寵物之必備知識……241

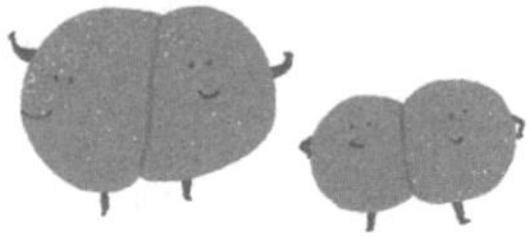

喔！原來可以這麼輕鬆搞懂微生物和傳染病

中華民國兒童保健協會秘書長．馬偕紀念醫院兒科部資深主治醫師　邱南昌

醫師的職責在於治療「疾病」，錯啦！應該是在治療病「人」。可是，醫學的知識浩瀚，更有許多人窮畢生精力，發現或研究出一個特殊疾病或治療方法，所以醫學上有一大堆以哪位仁兄命名的症候群或疾病，讓醫學生們在求學過程，光是背這些名字就弄得七葷八素；往後成為醫師，面對病人或家屬解釋病情時，往往習慣成自然，愈講愈複雜，講得天花爛醉，對方卻鴨子聽雷，有聽沒有懂。結果是，許多需要時間才能痊癒的疾病，若能讓病人和家屬清楚整個病情的最可能的發展過程，能夠安下心，耐心等一下，就可省掉許許多多不必要的麻煩，原本病人在這段時間應該要好好休息，卻因為過度操心反而拖延生病時間，加重病情。換句話說，許多病，應該是說清楚講明白，病大概也好了一半，這才是治療病「人」的王道。所以能讓病人和家屬清楚了解病情，對醫師而言應是非常重要的本領。

黃瑽寧醫師無疑是「說清楚」的高手，在這本書裡更可看出他如何以有趣又有系統地將

「傳染病（感染症）」和「微生物」介紹給讀者。只要先翻開第一章看，你就會發現原來這些導致傳染病的「惱人的小麻煩」還頗像「愛人」，與「情書」有密切關係！雖然談的是傳染病和導致這些疾病的微生物，讀者可以放一百二十個心，不會讓你們覺得醫學是多麼深奧難懂；看完後，萬一將來不幸給「惱人的小麻煩」纏上身，也可以從容的了解發病過程的來龍去脈以及要注意的事項。就請泡壺茶或點杯咖啡，輕鬆地翻開下一頁吧！

輕鬆聽懂醫生的專業醫囑

馬偕紀念醫院小兒感染科主任　紀鑫

所謂天下父母心，當父母的最怕家中的小寶貝生病了，除了到醫院看病是一件相當麻煩的事，還有醫生講的話父母經常有聽沒有懂，只能理解到，醫生說的話有中文專有名詞和一大堆英文。更甚者，醫生才開始講重點，父母就已經霧煞煞、腦鈍鈍，然後，醫生的話就像咒語或經文，嗡嗡地在耳邊響著。

我們小兒感染科醫生，最常被爸媽問的不外乎就是，「為什麼小朋友會被感染？到底是被什麼感染？」我們的回答也不外乎是，「有病原體、傳染途徑和易感受宿主。」所以父母最想搞懂，除了感染的病程之外，就是如何增加小朋友的免疫力，這樣就不用一天到晚上醫院。

還有一些經常造成家長困擾的問題，那就是哪些細菌感染要用抗生素治療？哪些可以不用？抗生素療程要注意什麼？有沒有副作用？要吃多久？預防注射是降低疾病感染最有效的方法，但是，有沒有副作用？打了可以保護多久？儘管現在網路發達，看起來大家也都有上網找資料的能力，但上述這些問題還真不容易有萬無一失的正確答案。

黃醫師在本書中以深入淺出的文字，生動清楚地回答上述這些令人難以理解的專業問題，不僅讓人有身歷其境的感覺，而且在沒有壓力之下，輕鬆了解這些艱澀的醫學常識。更加難能可貴的是，他在專業學理的說明亦十分用心，避開大家較不熟悉的字彙，使用大家熟悉的語言，讓讀者可以輕易看懂，這真的是一本不可多得的育兒寶典。

前言

世界上沒有一個人能夠一輩子完全不被病菌感染，尤其在兒童時期，更是感染的高峰期。在台灣，八〇%以上生病的小朋友，都是因為感染所引起，往往造成許多家長的緊張與焦慮。

俗語說得好：「知識使人自由。」家長要從小朋友生病的焦慮情緒中釋放，進一步了解感染症的前因後果，應該是最好的抒壓方法。

別被我的開場白嚇到了，這本書的內容一點也不困難，保證讓家長們可以輕鬆的閱讀。看完本書之後，接下來的故事就不會發生在您的身上了：

大寶因為肺炎住院，經過詳細的一番檢查之後，他還在發燒，但精神不錯。媽媽焦慮的問主治醫師：「到底是什麼細菌讓大寶生病呢？」

醫師回答：「不知道，也許不是細菌，是病毒吧！」

「那麼是哪一種病毒呢？」媽媽接著問。

「不知道，可能是腺病毒吧！」又是一個不知道，那你知道什麼？

「好吧，醫師，那我們開始治療腺病毒了嗎？」媽媽報著最後一絲希望。

「腺病毒沒有藥物可以治療。」

被醫師連澆了三盆冷水，大寶媽媽只好無助的上網搜尋：腺病毒。第一個連結打開：

「腺病毒是一種雙股的DNA病毒，其病毒顆粒直徑在七十五奈米（nm）左右，目前在臨床上已被確定的腺病毒科的種類已超過四十三種之多……」

才看到第三句，她的嘴角已經開始抽搐，眼睛無法對焦，頭腦立刻當機。這是什麼東西，誰看得懂呀？

於是大寶媽媽繼續焦慮，繼續不知所措，繼續搞不清楚治療方向，直到有一天大寶終於退燒，然後就莫名其妙出院了。朋友關心詢問，大寶是生什麼病住院，媽媽無奈地回答：「好像是肺炎吧？我也不知道。」

這個故事以四個不知道做為結束，真的是很遺憾。事實上，家長只要擁有一點點微生物的知識，這個故事的結局就會有很大的不同：

「醫生，幸好不是細菌性的肺炎。有可能是腺病毒感染嗎？」

「媽媽您真內行，的確有可能是腺病毒的肺炎。」

「醫生，我知道腺病毒的培養需要十天，所以沒關係，這段時間如果可以不用抗生素，就儘量不要使用，好嗎？」

醫生聽到這句話之後，感動地流淚。孩子退燒當天，馬上就出院了。面對親朋好友的關心，大寶媽媽高興地回答：「幸好有接種肺炎鏈球菌的疫苗，這次病毒性肺炎只是虛驚一場！」

這樣的結果不是很美妙嗎？

讀過醫學相關科系的學生應該都記得，在大學時期，「微生物」與「免疫學」是在同一門課程的。我常常舉例，免疫系統就像是軍隊：一個軍隊的建立，應該要先了解敵人是誰，才能進一步去對付它。敵人從空中來侵犯，你卻在磨關刀、練劍術，這樣是一點幫助也沒有的。

希望看完這本書之後，家長可以對報章雜誌上常出現的一些細菌和病毒種類不再陌生，更不會被一些聳動的標題所驚嚇。當然，我也會介紹一些常見的小兒感染性疾病，讓大家在診間與小兒科醫師溝通時，能在短時間內，了解醫師的想法與邏輯。

先預祝大家，開卷有益，輕鬆育兒！

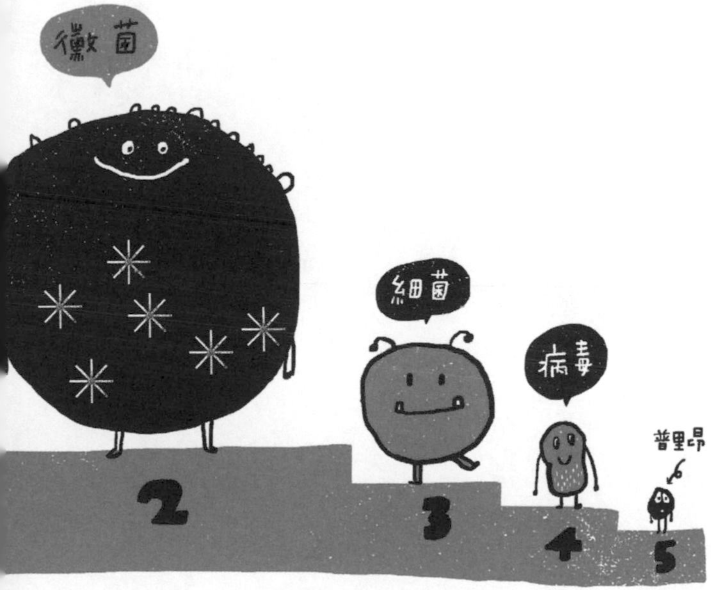
黴菌
細菌
病毒
普里昂
2
3
4
5

第1章

微生物——這些惱人的小傢伙們

1. 第一課：大家比一比

我是小兒科醫師，感染症是我的專長，因此必須經常跟家長解釋有關微生物感染的病情。所謂的微生物，就是病毒、細菌、黴菌、寄生蟲等等「小傢伙」們。這些名詞雖然每個人都曾聽過，甚至琅琅上口，但大部分都是懵懵懂懂，並非十分了解。

為了讓家長能更加了解微生物——小朋友生病最常見的敵人，我們的第一堂課，就先幫這些「小蟲們」比個大小吧！

從最大的微生物開始，寄生蟲絕對是第一名，因為可以感染人類的寄生蟲當中，最大的絛蟲甚至可長達二十公尺，根本用不著顯微鏡，肉眼就能看得到！（謎之音：這麼大隻還能叫做「微」生物嗎？）

然而，還在擔心家中孩子太過瘦小，是不是因為寄生蟲感染的家長，可能要失望了。由於台灣公共衛生的進步，那些阿公、阿嬤年代能見到的寄生蟲，都已經在台灣絕跡，想見也見不到了。想當年我在醫學院苦學各種不同蟲蟲的卵蛋形狀，空有一身武功，出了社

會才知道此情可待成追憶，心中的悵然實不足以外人道也。

目前能見到的寄生蟲，只剩下學童偶爾會感染的「蟯蟲」，蟲體大約一公分，肉眼可以看見；但蟯蟲卵就要用顯微鏡才看得見，大約五十微米（μm），也就是蟲體的兩百分之一。蟯蟲媽媽喜歡在三更半夜跑到小朋友的肛門口下蛋，因此小學生檢驗寄生蟲時，早上起來要用膠帶貼屁股，就是希望能黏到蟲卵，放在顯微鏡下就可看到。即便如此，蟲卵相對其他微生物還是很大一顆，穩居比大排行榜的第一名。

排行榜第二名，是生長得很慢的黴菌。會感染人類的黴菌，當然不可能像香菇一樣大，可以想像在人身上冒出杏鮑菇，這還得了。舉例來說，造成香港腳的黴菌（trichophyton），在顯微鏡下看起來像支雞毛撢子，每根「雞毛」不過就是五十微米，跟上述的蟯蟲卵差不多大小。

然而，與兒童最相關的黴菌應該不是香港腳，而是小嬰兒口腔裡長的鵝口瘡，經由赫赫有名的「白色念珠菌」——一種黴菌感染所造成的疾病。白色念珠菌的大小約五微米，在黴菌界屬於小不點，喜歡在粘膜上出沒。如果寶寶的尿布沒有勤更換，很有可能也會造成

「念珠菌型尿布疹」，家長如果自己亂塗藥的話，就會愈擦愈嚴重。

比大排行榜第三名才是大家都熟知的「細菌」。細菌是人類歷史上最早被發現的微生物，也難怪大部分的人一想到感染，直接就聯想到它。自從一八七七年科霍醫師發現炭疽桿菌，如今人類已經發現上百萬種細菌，族繁不及備載。然而大家要曉得，並不是每種細菌都會讓人生病，有些細菌是人類的好朋友，少數的細菌才會讓人生病。

細菌的大小約一～五微米，這已經非常小了，用顯微鏡要放大四百倍才勉強看得到。因此想像一下，如果洗手只是用水隨便沖一沖，大概所有的細菌都還在手上開心的翻滾。細菌界還有一些怪胎，比如說常常聽到的黴漿菌、披衣菌，他們比一般細菌更小，直徑只有平均的十分之一（約〇．一～一微米），一般的光學顯微鏡已經看不見，必須用電子顯微鏡才可能觀察得到。它們瘦身的祕訣是：把細菌厚重的外套脫掉，只保有細菌的核心，看起來就不會那麼胖了。所以說，體態較豐腴的熟男型女們可以試著跟細菌學習，天氣寒冷時採取洋蔥式穿衣，取代笨重的大外套，看起來會比較瘦。

微生物比大排行榜進入最後倒數，在過去好長一段時間，科學家認為「病毒」應該是

永遠的最後一名，不太可能有病原體再比它更小了。病毒的大小約十～三百奈米（nm），也就是〇．〇一～〇．三微米，直徑是細菌的一％，簡直無孔不入的特性，也因此博得了「濾過性病毒」的稱號。

為什麼被稱為濾過性病毒呢？容我跟各位分享一個故事。

有收藏瓷器的人應該都聽過「英國皇家道爾頓名瓷（Royal Doulton）」這個品牌，其創始者 John Doulton 除了建立這家百年老店之外，也發明了一種陶瓷的濾水器，一百五十年來，至今還有人在使用。這種陶瓷濾水器是當年應維多利亞女王要求而設計，女王為了讓皇家家族成員能飲用乾淨的水，想利用這種方式把水中雜質都過濾乾淨，這倒是非常前衛的概念。

沒想到這樣的濾水裝置一炮而紅，除了飲用水之外，連科學家都用它來過濾細菌。直到有一天，某位俄國的植物學家使用這種陶瓷濾水器處理過的水來澆花，萬萬沒想到，植物竟然還是生病了。他因此認為，這世界上一定還是存在某種可感染植物的病原體，而且顯然這種病原體比陶瓷濾水器的孔洞還小，可以穿過陶瓷的縫隙。

這位植物學家所描述的小東西，其實就是病毒，也就是「濾過性病毒」這個名詞的由來。現在我們知道，陶瓷濾水器的孔徑大約○．九微米，不只病毒能穿透，連黴漿菌、披衣菌應該也可自由穿透，只有細菌和大於細菌的物質會被擋住。

剛剛說本來世界上最小的病原體是由病毒獨領風騷，沒想到在一九八二年，居然被另一個物質打破紀錄，這個物質就是造成狂牛症的「普里昂」（prion）。普里昂算不算是一個微生物，目前還是一個爭議，因為它只是一個蛋白分子，甚至沒有「基因」這樣的組合在內。以我有限的腦袋認為，這世界上應該不可能有更小的病原體了（謎之音：鬼才知道）。

好啦，如果各位對於上述的微米、奈米搞得昏頭轉向的話，這裡給大家一個想像的空間：若普里昂的大小像是一粒米，那麼病毒就像一顆花生，黴漿菌大概是一顆蘋果，細菌則是卡車輪胎，黴菌孢子像加大型的雙人床，至於寄生蟲？最小的跟黴菌差不多，但如果是那隻二十公尺長的條蟲，幾乎等於一座金門島！

嘿！回到剛剛維多利亞女王的陶瓷濾水器，大家一定想知道：「那麼我現在家裡使用的濾水器，是不是能過濾上述所有的微生物呢？」

若您家裡使用的是 RO 逆滲透水，那麼任何物質應該都擋得住，當然也包括濾過性病毒，因為 RO 逆滲透水是把水分子重新組合，只要不是水分子，統統都無法通過。但是如果各位像我家一樣，使用的是 Brita 濾水壺，根據官方網站的描述，孔洞大小是三微米，回想剛剛描述微生物的大小，能過濾掉哪些傢伙呢？哇！恐怕連細菌都不見得過濾得乾淨，更不用說病毒了。但話又說回來，太乾淨的水，連礦物質都被清得一乾二淨，也不見得是好事，所以我並不建議大家都選擇 RO 逆滲透水，但這是題外話了。我要強調的是：即便經過濾水壺過濾的水，從殺菌的角度而言，還是應該要煮沸後才能拿來沖泡嬰兒的奶粉或料理副食品，才能確保其衛生與安全。

「微生物大小比一比」就到這裡告一段落，謝謝大家的收看！

2. 細菌是什麼東西？

說到人類各種致病菌，其中家長最常聽到的莫過於「細菌」和「病毒」，因為這是小兒感染症裡兩個最大的主角。這兩者又以細菌感染更加危險，自古以來一向是人類健康上最大的敵人。

無可否認的，細菌其實是這個地球上最重要的生物體，比人類還重要。它們無所不在，高至喜瑪拉雅山，深至馬里亞納海溝，熱至沸騰的溫泉，冷至零度的寒冷環境，皆可發現細菌的蹤跡。在人類的腸胃道裡，約有十兆隻細菌跟我們共同生活，比人類自己的細胞還多出十倍，鳩佔鵲巢，究竟誰是我們身體的主人，還很難說。

這群與我們共生的善良細菌，最主要的功能，是在幫助人類的消化系統與免疫系統。比如說，電視廣告上常看到的「腸內好菌」，就是這些可以幫助我們消化的益生菌。在兒童急性腹瀉的時候，補充益生菌也可以減緩症狀，縮短病程，提供醫生另一個不算是吃藥的治療。但很重要的概念是，我們並不需要每天「購買」這些外來益生菌的補品，人體的肚

子裡本來就擁有自身的益生菌群，替我們營造腸道的良好吸收環境。

除了幫助消化之外，這些小幫手還可以幫忙訓練人類的免疫系統。大家應該都聽過益生菌可以「調節免疫力」、「減少過敏」的說法，這些概念其實都是從細菌與免疫系統的交互作用延伸而來。不過在商言商，臨床上口服益生菌是否真的能增強免疫力，或減少過敏，目前都還是個大問號。

另一個細菌與免疫系統有關的概念就是「農場理論」。這個理論的大意是，在農場長大的孩子，因為常常接觸某些細菌或分枝桿菌，這些微生物「小老師」會訓練他們的免疫系統「走上正途」，因此發生過敏疾病的機率就大幅降低。另一個證明在新生兒方面，出生後如果使用廣效型抗生素，這些寶寶長大之後更容易發生過敏性疾病，因為嬰兒的第一個「免疫小老師」——細菌，都被抗生素殺光光了。以上種種，都再次證明細菌是養成良好免疫力的關鍵。

最近還有一些報導顯示細菌可以減少肥胖、加強營養，以及合成許多維他命。我還聽過一個更扯的研究，發現某些細菌還可促進智能的發展與抗憂鬱，看完之後，我簡直想去

找個狗屎來吃一吃。

然而，人菌之間的關係顯然並不是如此樂觀。有些細菌悖離了正道，成了叛徒，會釋放毒素，破壞人的細胞；或者是人類侵犯了它們的領土，導致不正常的散播，進而引起生病與發炎。這種狀況才是我們所擔憂，也是造成人類死亡的原因之一，以至於吃狗屎並不是一個很好的選項。

整體來說，細菌感染的來源有三種：第一是外來入侵；第二是窩裡造反；最後一種是欺善怕惡。讓我來一一描述。

什麼樣的感染屬於外來細菌入侵呢？這種細菌就是不會跟人一起共生的，一旦進入人體，必定爭個你死我活：不是造成生病，就是被我們的免疫系統殺死。舉例來說，有一種叫做「退伍軍人症」的疾病，就是屬於外來細菌，此病的致病原是名為「退伍軍人桿菌」（Legionella）的東西。

暫停一下，講個跟這細菌有關的故事。一九七六年的夏天，一群美國老兵在費城參加一年一度的「美國退伍軍人大會」。把酒言歡，曲終人散之後，開始有很多人出現肺炎及呼

吸道感染的症狀，最後竟釀成三十四人死亡的悲劇。當時，醫生們並不知道是什麼原因造成集體的肺炎感染，直到隔年才發現了這隻細菌，因此命名為「退伍軍人桿菌」，來紀念這群老兵們。

這隻細菌當然不是我們的好朋友，平常都躲在冷氣機裡的廢水中。舊型的冷氣機會有積水的問題，細菌因此藉由風扇吹散在空中，被人吸進肺葉之後就生病了。因為退伍軍人桿菌不會跟人類和平共生，一旦進入人體，不是你死，就是我亡，所以很明確是屬於「外來的細菌入侵」這一型。醫院裡要是在冷氣機發現有退伍軍人桿菌的蹤跡，那就麻煩大了，整個管線都要消毒，浩大的工程保證讓醫院運作暫時停擺。

第二種感染人類的細菌，是屬於「背包客」的類型；它們可以短暫與人類和平共處，想離開時就離開，就像背包客一樣，在這個人身上住一段時間，又到另一個人身上住一段時間，居無定所。有些人的體質跟細菌很「麻吉」，這些細菌就會在這些好朋友身上住得特別長久，我們稱這樣的人為「帶菌者」。帶菌者除了會到處傳染細菌給別人之外，有時候也會發生「窩裡造反」的事件，當自身抵抗力不佳的時候，這些細菌就會露出凶惡的本性，

讓帶菌者生病。這類疾病的例子包括金黃色葡萄球菌、肺炎鏈球菌、腦膜炎雙球菌等等，幾乎大部分的細菌感染症都屬於這一類型。所以醫師常會說要多喝水、多休息，培養抵抗力，才不會生病，就是為了預防「窩裡反」的細菌感染。

最後一種細菌是「欺善怕惡」型，只會發生在已經病入膏肓的病人。剛剛說到人類身體裡的細胞和十倍以上的細菌一起共生，本來應該是忠誠度百分百的莫逆之交。然而當病人因為化療、愛滋病，或是長期慢性疾病的折磨，身體裡的免疫力幾乎沒有了，共生的朋友們就會開始叛變。這些細菌因為不常造成感染，所以醫生跟它們也不太熟，一旦發生了，就會看到醫生拿著檢驗報告抓頭皺眉，想很久才搞清楚是什麼東西。因為這種感染實在不可思議地罕見，若是得到這類型的細菌感染，想必病人的情況可能也不妙了。

藉由對細菌的了解，我們可以試著解讀報章雜誌上一些聳動的新聞：比如說，砧板上的細菌，比馬桶多出三倍；抹布上的細菌，比馬桶多出一百倍；廚房水槽的細菌量，比馬桶更高出了兩百倍等等。其他被提及的骯髒東西還包括了刮鬍刀、毛巾、洗衣機等等，族繁不及備載。有趣的是，幾乎所有的物品都把馬桶當做假想敵，但電視廣告裡劉德華叔叔

還不是抱著馬桶微笑，顯然並不覺得它是最髒的東西。

事實上，這些新聞看看就好，不用太在意。細菌量並不等於致病的機率，而且這些牙刷、毛巾上的細菌可能是我們的寄生朋友，或是共生朋友，致病的機率並不高。廚房水槽裡的細菌有一半可能根本就不是人類這一掛的，你不犯我、我不犯你，大家相安無事。雖然免疫力極差的人，什麼細菌都會感染，但你我大部分都不屬於這一類型。所以，今天起再看到類似的報導，就別再杞人憂天啦！

3. 病毒像愛人

我曾經在〈第一課：大家比一比〉中提到，病毒曾經是所有病原體裡最小的成員。這麼小的物質，要怎麼樣讓自己活下來，還可以四處散播呢？它的方法是：就當個尸位素餐的「寄生蟲」吧！

「病毒無法脫離生物體獨自存活」，這個觀念是了解病毒的入門常識。如果生物體死了，病毒也就死了。也因此，當病毒要從第一個病人傳染給下一個人的時候，間隔時間不能太長，否則本身也失去了活性。

病毒當然知道自己的弱點，所以當它進入到人體後，大部分會採取兩種方式保存性命。

第一種生存方式是「洪水法」，藉由大量複製、大量繁殖，製造出多子多孫，這樣感染力才會強。此類病毒包括流感病毒、腸病毒等等。這類病毒複製的時候，基本上是利用我們人體的材料，例如：蛋白質、熱量、酵素，來製造它自己的後代，可以說是厚臉皮到了極點。我們的細胞被感染之後，替病毒做牛做馬，製造出大量的病毒，然後死亡，而這些

子代病毒又去感染新的細胞。所以感冒的時候常常會感到疲累不堪，就是因為體力都被這小小的「寄生蟲」給消耗掉了。

第二種生存方式是「躲藏法」，感染之後，趕快找個地方躲起來，不讓免疫細胞發現，就好像你家閣樓上的老鼠一樣，準備跟宿主一起過一輩子。此類病毒包括疱疹病毒、水痘病毒等等，只要你得了一次，它們就躲在你的神經節裡，注定跟著你一生一世。當然，它躲久了也會無聊，就跑出來透透氣，看看宿主的抵抗力好不好。若此時宿主剛好熬夜、壓力大、作息混亂、飲食不正常，或因為老化抵抗力下降，病毒就會給你一點警告，發出唇疱疹或帶狀疱疹之類的疾病。

雖然感覺上，「洪水法」的病毒比較強悍，但人體的免疫系統可不是省油的燈。一開始宿主先是節節敗退，症狀愈來愈嚴重，但隨著抗體愈來愈多，免疫反應就愈來愈強。經過數天之後，病毒繁殖的速度比不上被吞噬的速度，最後只能透過傳染給下一個人，來另起爐灶，原來的宿主則恢復健康，體內的病毒被清除得一乾二淨。若要繼續在人類世界生存，它們必須不斷突變，才能反覆地感染人，這就是「洪水法」病毒的宿命。

「躲藏法」的病毒看似溫和，卻是相對聰明的。它們不需要做太多的改變，只要安安靜靜地躺在主人的細胞裡，適時跑出來提醒主人好好照顧自己的身體，見好就收。這種病毒就算用藥，也很難清除乾淨，最終病患只能選擇與病毒和平共處，共度一生。

寫到這裡，不禁將這樣的關係和人與人之間的愛情聯想在一起，還真的很類似呢！使用「洪水法」去表達愛的人，總想要瘋狂地佔有對方。他們用言語、用金錢、用暴力，去傷害所愛的人，期盼對方能妥協，成為他的禁臠。唉呀，這不就是第一種病毒所使用的方法嗎？是的，一開始可能有效，但經過不斷地傷害與破壞之後，大部分的人隨著抵抗力增加，愈來愈強壯，最後總是可以脫離挾制，重獲新生。少部分的人輸了、死亡了，但病毒無法單獨存活，所以隨著宿主的死亡，自己也活不成。這樣的愛，真是兩敗俱傷！

還是學學「躲藏法」的病毒吧！學習與你所愛的人和平共處，當他沒有好好照顧自己時，刺激他、點醒他一下，然後再回到你舒適的小窩。也許他平常不會一直感受到你的存在，但是兩人卻可以長久相伴，一直到人生的終點。

誰說病毒學不浪漫呢？

4. 給你一封情書：談感染途徑

每個人都有寫情書的經驗，不知道當年的你（或你的另一半），是用什麼方式將情書遞送出去的呢？

充滿自信又有膽量的的情人，常選擇直來直往，絕不拐彎抹角。他們約女孩出來，率直地拿出情書，交在她的手心。「回去看吧，我寫的喔！」然後俏皮地眨了眨眼。這是屬於第一種方式，叫做「當面傳情」。

第二種情人，是屬於比較害羞內向的個性。他不敢當面把情書送給心儀的對象，所以小心翼翼地把信放在女孩家的信箱，留在她的抽屜，或者掛在宿舍的門上。當她回到家時低頭一看，不經意地就發現這封情書的存在，也算是一種驚喜。但這樣做有一些風險，比如說女孩可能還沒拿到情書之前，就先被媽媽或室友發現，一個不小心把信給拆了，肉麻的內容被看光光。這種方式，又叫做「間接傳情」，兩個人其實並沒有直接面對面。

為了避免情書被媽媽攔截，有人決定保險一點，請一位信差幫忙傳遞情書。而且為了

要浪漫，信差不見得是「人」，也可以訓練自家養的小狗或鴿子，效法古時候「飛鴿傳情」的精神，將愛意隔空送達！

一本有關微生物與免疫的書，怎麼會講到愛情呢？原來生活中很多事情道理都是類似的，比如說病毒細菌的傳播和送情書這兩件事。

一隻病毒或細菌要從我的身上，跑到你的身上，通常會有三種方式。第一種就是直來直往的「當面傳情」，我打個噴涕，你在我面前接收，想起來很噁心，但事實上便是如此。然而「當面傳情」並不限於打噴嚏咳嗽，比較多的還是靠握手、摸臉、性行為等等肢體的接觸來傳遞。

一般感冒病毒跟著我們的噴涕或口水，往前飛飛飛，在沒有強風的幫助之下，大約一公尺後就落地了。因為一般人沒有用舌頭舔地板的習慣（又不是小狗），所以這樣的病毒顆粒在地板上數小時之後，就只能等待枯乾而死亡。這也是為什麼流感季節時，戴口罩的建議僅限於人擠人的密閉空間。如果是在開放空間裡，人與人的距離通常會超過一公尺以上，飛沫傳不了這麼遠，因此不需要用口罩悶死自己。

除了打噴嚏、咳嗽之外，最常見的「當面傳情」，還是得依靠近距離的肢體接觸。比如說一個生病的小孩，因為鼻子癢而揉眼睛，然後沒有洗手，又跟別的小朋友手牽手，被牽手的這名小朋友又用手挖鼻孔，就這樣完成了病毒交接的儀式。你知道幼稚園裡有多少需要「手牽手」的遊戲嗎？知道的話，就不會整天困擾著「為什麼小孩一上學就常常感冒」這種事情了。

就算老師都不玩「手牽手」的遊戲，病毒細菌還是有機會傳播的，靠的就是第二種「間接傳情」的方式。舉例來說，剛剛的那位小孩揉完眼睛之後，雖然沒有跟其他小朋友手牽手，但是在他洗手之前，就先去摸門把，摸開飲機喝水，還用髒手按電梯。在他後面來的小朋友也同樣摸了這些東西，病菌馬上跑到手上，接著再用髒手拿餅乾放嘴裡，又完成了交接的儀式。有養過小孩的人都知道，小孩最常做的事情就是「東摸西摸」，而且前面的小孩摸過，後面的小孩一定也跟著摸，保證輸人不輸陣。因此，全世界的感染學家都同意，學校是人類最大的「病毒培養皿」，這樣的說法一點也不誇張。

最後，有些疾病並不是靠「直接傳情」或「間接傳情」來散佈，而是更恐怖的「飛鴿

傳情」。這裡的「飛鴿」不只是鳥，而是泛指各種昆蟲與動物，最常見的是蚊子。夏天流行的登革熱，就是靠蚊子來飛鴿傳情：埃及斑蚊或者白線斑紋叮咬了生病的登革熱患者，經過一、兩週的繁殖之後，再叮咬健康的人，就會讓他也得到登革熱。有時候第一個病患不見得是「人」，比如說日本腦炎，蚊子就是先叮咬了「豬」，再來叮咬人類，造成感染。

其實，最後還有一種生病的方式，就是「愛上不該愛的人」。人家明明沒有寫情書給你，好端端地在球場打籃球，你剛好走路經過，被汗流浹背的拼勁所吸引，自己就愛上他了。這樣的感染途徑叫做「無妄之災」，破傷風桿菌就是其中一例。

在我們的土壤中，很多細菌隱藏在很深層的地方，好端端地在自己生活著。沒想到因為颱風過境，大雨滂沱這些細菌乾坤大挪移地跑到表面了。如果我們穿著藍白夾腳拖，走在淹水的泥濘當中打掃，很有可能這些細菌就穿過我們腳上的小傷口，跑到我們身體裡面。這種疾病除了破傷風之外，還有漢他病毒、類鼻疽、鉤端螺旋體等等少見的疾病。所以這種狀況下，最好是要穿雨鞋，而且確保腳上沒有傷口，才能去掃水。

四種疾病傳染途徑：當面傳情、間接傳情、飛鴿傳情，以及無妄之災，你學會了嗎？

第2章

喉嚨痛死了啦——咽喉腔的細菌與病毒

1. 每個人都經歷過的喉嚨發炎

有一位朋友曾經跟我抱怨：「每次看你們小兒科，醫生只會講三句話：喉嚨發炎，觀察幾天，有發燒再回診。難道沒有別的台詞了嗎？」

我認真地回答他：「別小看這三句話，人家兒科醫師專業的診斷，就濃縮在這三句話裡面！」

朋友挑了一下眉毛，一副不可置信的模樣。

「不然這樣，你告訴我，什麼叫做喉嚨發炎？」我挑戰他。

「喉嚨發炎就是一種感冒吧，」朋友解釋，「要吃消炎藥治療。」

「你看吧！大錯特錯，」我得意地指著他鼻子，「這其中學問可大了！」

小兒科醫師必備的其中一項工具，就是壓舌板，可以把孩子口腔的視野擴大，看清楚喉嚨的完整情況。觀察的重點有上顎、後咽、扁桃腺、舌頭、口腔壁，還有牙齦等等。

這裡要賣弄一下英文。在醫學檢查裡有兩個詞，一個叫做 symptom，中文譯成「症

狀」，另一個叫做 sign，中文譯成「癥兆」。症狀是病人自己主觀的感受，比如說「喉嚨好痛」；而癥兆則是醫生所觀察到的外在表現，比如說「喉嚨發炎」。

每當醫生用壓舌板看過孩子的咽喉之後，說「喉嚨有點發炎」，這不是一個症狀（symptom），而只是一個癥兆（sign），是醫生觀察到的結果。所以，很多時候家長會跟我說：「寶寶因為『喉嚨發炎』去看過醫生，」我都會馬上糾正：「不對，這不是正確的描述。您帶孩子去看醫生，是因為別的原因，可能是發燒，也可能是咳嗽，而喉嚨發炎則是醫生告訴您他所看到的，並不是您自己的觀察。」

千萬不要覺得這是一件小事情，因為如果家長在敘述病情上，把前一位醫生的判斷融合在自己的觀察之中，很有可能就會誤導下一位醫生的思考邏輯。當然我們很樂意將之前醫生的診斷內容做為參考，但您所提供的第一手資料其實才是更加寶貴的。

世界上沒有「喉嚨發炎藥」這種東西

經過詳細檢查，我告訴家長這三句箴言之後，媽媽接著常常會問：「那有沒有開喉嚨

發炎的藥？」這也是一個錯誤的問句。

喉嚨發炎只是一個癥兆，並不需要治療。喉嚨發炎如果會痛，那麼開的是止痛藥；喉嚨發炎如果被懷疑是細菌感染，開的是抗生素；更多時候喉嚨發炎只是病毒感染的結果，可能不會痛，也沒有細菌，那就什麼藥都不用開。所以，這世界上是沒有「喉嚨發炎藥」這種東西的。

唉，這些誤會並不是家長的錯，其實是醫生自己造成的。家長來看病，想聽到的是「診斷」，而不是「癥兆」，醫生卻因為暫時不知道該怎麼下診斷，就把癥兆當做診斷告訴媽媽，習以為常之後，就變成現在這個溝通不良的狀況。

這就像相親前你問媒人婆，對方長得怎麼樣，她回答「留美碩士」一樣，答非所問。

難道醫師下個診斷有那麼困難嗎？老實說，真的很困難。所有的上呼吸道感染幾乎都會喉嚨發炎，包括各式各樣的細菌與病毒感染，在第一時間，醫生幾乎不可能明確地告訴您是哪一種疾病。舉例來說，大家都知道腸病毒引起泡疹性咽峽炎，在喉嚨和上顎處會有水泡與潰瘍，但是第一天看診的醫師，可能什麼水泡與潰瘍都沒看到，只見到紅紅一片的

「喉嚨發炎」。要是沒解釋清楚，隔天被診斷為腸病毒的時候，前一個醫生背地裡一定被罵得慘兮兮了！

所以有經驗的醫生除了看喉嚨之外，必須藉由家長提供的訊息，孩子的年齡、身體其他的症狀，來猜測可能是哪一種細菌或病毒感染。一般來講，如果我暫時無法下一個明確的診斷，至少我會大致分為細菌感染，還是病毒感染，因為細菌感染必須使用抗生素，病毒感染則觀察即可。

所以我想大部分醫生所說的「喉嚨發炎，觀察幾天，有發燒再回診」意思就是：「這是病毒感染，暫時不用抗生素，觀察幾天如果有更多的症狀出現，我也許就可以告訴您是什麼診斷了！」

你看，我沒騙你吧！這短短三句話，真的是經過專業思考所下的結論喔！

2. 蛇蠍美人：A型鏈球菌

A型鏈球菌是一隻很有特色的細菌。在準備介紹「她」的時候，我一直在想，要拿什麼來做比喻。她心狠手辣，要你命時絕不手軟；有時她也會手下留情，但絕對讓你一輩子忘不了她；她若喜歡你，也願意和你相安無事地共處；但是這麼厲害的角色，面對抗生素時，卻又是這麼的脆弱。

聽起來，是不是很像小說中那敢愛敢恨的蛇蠍美人呢？

A型鏈球菌的感染分為兩個途徑，一是從皮膚的傷口侵入，二或是經由喉嚨。不管從哪邊入侵，多數只是造成輕微感染，但萬一她發了狂要你好看，絕對是兩敗俱傷。在本篇文章裡，我們先討論從喉嚨感染的途徑。

和很多細菌病毒一樣，如果A型鏈球菌喜歡你，她可以依附在你的喉嚨，讓你成為帶菌者。帶菌者除了會把細菌傳染給別人之外，本身也沒好日子過；當她心情不好，或身體抵抗力不佳的時候，也會讓你常常生病。

當蛇蠍美人耍小脾氣的時候，第一步就是讓你「喉嚨發炎」。之前我們提過，喉嚨發炎有分為細菌性或病毒性，其中A型鏈球菌就是最常見的細菌感染源。蛇蠍美人很有同情心，不常攻擊三歲以下的幼兒，比較偏好五歲至十五歲之間，年紀比較大的孩童。

對於醫生而言，臨床上分辨是細菌還是病毒引起的喉嚨發炎，是所有診斷的第一步驟，但並不如想像中簡單。細菌性喉嚨發炎通常比較痛，可能會伴隨發燒、頭痛、肚子痛等等。另外醫生用壓舌板檢查的時候，有時候會看到上顎呈現紅色的出血點，以及扁桃腺化膿。很多人以為「扁桃腺化膿一定是細菌感染」，其實不然。根據統計，兒童的扁桃腺化膿只有一〇％是A型鏈球菌感染，其餘的九〇％都只是病毒在作怪而已，因此不一定要吃抗生素。

當然老是讓醫生猜來猜去也不是辦法，我們的確可以做些檢查確定診斷，其中最傳統的方式就是「挖喉嚨」送細菌培養。各位知道培養細菌像種花一樣，需要一點時間讓細菌繁殖，差不多是三天左右。這三天醫生可以先讓病人吃抗生素，三天後如果確定是A型鏈球菌，就繼續治療，如果不是細菌，抗生素就停。除了用傳統的培養方式之外，某些醫院

有一種「A型鏈球菌快篩」，馬上就可以知道答案，這樣就可以當場決定是否使用抗生素。A型鏈球菌感染的完整療程是十天。

A型鏈球菌會引起毒性休克症候群

有人說女人翻臉如翻書，A型鏈球菌這蛇蠍美人便是如此。讓人喉嚨發炎還只是普通級，接下來我要跟各位分享的內容就屬於限制級的了，

六歲的小強因為發燒、喉嚨痛，被媽媽帶到兒科急診室看病。醫生覺得孩子精神很不好，很像細菌感染，決定讓他住院。住院沒幾小時，醫生發現小強臉色發白，血壓偏低，立刻決定轉加護病房。此時小強還能自己走路。

那位醫生告訴我說：「這一幕讓人永遠忘不了。小強自己走進加護病房，突然回頭，氣若游絲地說了一句：『媽媽，我好渴。』接著就倒在門口，從此再也沒醒來過。」

三天後，喉嚨培養的報告出來，正是A型鏈球菌感染。

就如同我在文章開頭所說的，蛇蠍美人如果要發狠，病人恐怕連小命都保不住。她釋

放的毒素非常恐怖，輕則讓人長猩紅熱（全身紅通通的疹子），或者造成腎臟發炎，重則引起毒性休克症候群，像小強一樣突然休克，甚至死亡。在沒有抗生素的年代，得到猩紅熱是很嚴重的事，經典小說《小婦人》中的小女兒貝絲就是得了這個疾病，雖然幸運地活下來，但之後身體就變得很虛弱了。

如果不用抗生素治療，A型鏈球菌還有一個狠招，就是讓你得到慢性風溼熱，一輩子心臟病。這些恐怖的病症，在抗生素發明之後，漸漸地不再令人害怕。台灣的孩子拜「抗生素濫用」所賜，幾乎人人都吃過抗生素，也已經很少人得到慢性風溼熱了。

蛇蠍美人雖然時而溫柔，時而狠毒，但遇到老情人「盤尼西林」，卻是癡情得很。一百年來，各種細菌的抗藥性不斷升高，唯有A型鏈球菌始終拿盤尼西林沒辦法，它的抗藥性依舊是零。

也許這就是她永遠難解的宿命吧！

3. 嘴巴長泡泡：腸病毒和人類疱疹病毒

在眾多病毒造成的喉嚨發炎之中，最令家長擔憂的，應該非腸病毒莫屬。每次提到腸病毒，很自然地就會聯想到腹痛或腹瀉等等腸胃道症狀，這絕對是第一個要釐清的錯誤觀念。

之所以命名為「腸」病毒，是來自英文 Enterovirus 的翻譯。Entero- 這個字首代表「經由腸胃道」之意，也就是說是藉由「吃」入病毒，所造成的感染。腸病毒很厲害，它會鑽入小腸的血管，順著血液到處流竄，跑到喉嚨，就變成我們所熟知的「泡疹性咽峽炎」。

得到泡疹性咽峽炎的孩子，會在上顎後方，形成小水泡或潰瘍，很痛，有時會加上發燒，要一週左右才完全康復。如果加上手腳也有病毒水泡或疹子，就叫做「手、足、口症」，這兩種疾病也是腸病毒最常見的兩大病症。

不過，腸病毒不見得這麼安分守己，除了造成泡疹性咽峽炎和手足口症之外，偶爾也會亂跑到心臟或腦幹，造成重症甚至死亡，其中以腸病毒七十一型是危險度最高的一型。

有一天我整理家中的檔案，發現一系列我父親在一九九八年的電視節目上衛教的影片，讓我感觸良多。那一年剛好就是腸病毒七十一型大流行的時候。從影片上看得出，那時全國家中有幼童的家長，無一不驚恐萬分；call-in 進來媽媽焦急提問的聲音，配上背景畫面不斷放送醫院人滿為患的狀況，不知道的人還以為是世界末日，跟SARS肆虐時的緊張乃有過之而無不及！

十四年後的今天，腸病毒七十一型還是一樣棘手，還是一樣帶給家長恐慌。但小兒科醫生經過前輩們這許多年的經驗累積與傳承，診斷與處理上的能力，與當年卻已大不同了。

日前我參加一個有關腸病毒的研討會，看到一位前輩醫師分享他痛苦的經歷：一位活蹦亂跳的孩子，如何感染了腸病毒七十一型，住院，開始惡化，當天轉加護病房時還是自己走進去的，才過那自動門，就噗通倒地，隔日便離世死亡，病程之快，連醫生都感到措手不及。那一年七十一型重症的人數超過四百人，其中有七十八位死亡，每一位都是這麼突然地離開。

然而，正統醫學之所以不斷進步，且令人感動之處就在這裡。

當年這些前輩醫師們，每個人都把自己的經驗分享出來討論，不斷地開會，試圖找出解決之道，而實驗室那一端的研究也同時進行，整個步調就像電影《全境擴散》的劇情一樣緊張。如今，雖然腸病毒依然沒有特效藥，雖然疫苗依然尚未研發上市，但在最近一次腸病毒七十一型大流行的二〇〇八年，同樣發生三百多位重症病人，死亡人數卻可壓縮至十四人，少了八〇%。

現在我們知道，腸病毒七十一型大約每三年會流行一次，重症率約萬分之三左右，死亡率可控制在十萬分之一。我們也知道，腸病毒七十一型之所以讓人措手不及，是因為病毒會直攻我們的生命中樞，也就是腦幹。所以病童全身器官功能都還是好好的，甚至意識都還很清醒，但指揮官一死，心臟竟然忘記怎麼跳，漸漸地就停止了。

然而即便以現代醫學的發達，吾人仍無法預測哪個孩子感染腸病毒七十一型之後會走向重症，而哪個孩子不會。我們甚至在第一時間看見手足口症的病童，也無從得知他感染的是七十一型，還是其他較溫和的病毒。

在這一切朦朧模糊之中，至少有幾件事是確定的：

第一，三歲以下得手足口症的病童要特別小心，因為三歲以下感染腸病毒七十一型後重症的機率較高。

第二，所謂特別小心，就是要嚴密監控四大重症前兆：❶嗜睡、意識不清、活力不佳、手腳無力。❷頻繁地肌躍型抽搐。❸持續嘔吐。❹心跳加快或呼吸急促。所謂肌躍型抽搐，是寶寶快睡著時，類似受到驚嚇的突發性全身肌肉收縮動作，與一般發燒畏寒不同，影片可參考疾病管制局的網站。

第三，上述的四大跡象中只需具備一個，就有住院的必要。

第四，住院後若不幸走向重症，我們有三大尚方寶劍：免疫球蛋白、強心劑，以及葉克膜。雖然這三把劍仍無法救活所有病童，但相信我，若狀況真的這麼糟糕，硬救不見得對孩子是好事。

一樣會長泡的人類疱疹病毒

花了這麼多篇幅解釋腸病毒，有另一種病毒也會造成喉嚨的水泡與潰瘍，那就是人類

疱疹病毒（Human herpes virus, HSV）。

人類疱疹病毒有兩種，一種是HSV—2，大部分長在生殖器，造成大人的性病。另一種是HSV—1，長在嘴巴上。媽媽們可以回想一下，自己或者是其他親戚朋友，有沒有人熬夜的時候，壓力大的時候，抵抗力不好的時候，嘴唇上有一個痛痛的水泡，俗稱「臭嘴邊」，過了幾天就好了。這就是疱疹病毒HSV—1所造成的。

疱疹病毒的傳染跟腸病毒不同，它不是靠飛沫的傳染，一定要近距離接觸才會傳給人。所以如果孩子得了疱疹病毒，罪魁禍首必定是身邊最親近，會親吻小孩的，比如說爸爸媽媽、阿公阿嬤、保母等等。

疱疹病毒一旦感染到小孩，小孩身上因為沒有任何抗體，其中一〇%的孩子就會大發作，嘴破、牙齦紅腫、流血、口臭、發高燒，這就是典型的疱疹性齒齦炎。疱疹性齒齦炎常常會發燒超過攝氏三十九度，而且會燒很久，甚至長達一個星期。經過高峰期之後，疱疹會漸漸癒合，但完全好要兩個星期。這麼恐怖的疾病，一輩子幸好只會得一次，不會有第二次。

腸病毒引起的「泡疹性咽峽炎」，和疱疹病毒引起的「疱疹性齒齦炎」，一開始症狀實在太像了，導致許多醫生分辨不出來，常常到了病程的第二天之後，才會漸漸明朗。不過這兩種疾病照顧的原則差不多，目標就是不要讓孩子脫水。冰涼的液體經過潰瘍時比較不會疼痛，所以只要孩子肯接受，不管是冰水、運動飲料、果汁、電解水，都可以喝。如果孩子痛到受不了，完全不肯喝水，猛流口水，嘴巴都不敢張開，小便量變得很少，那麼這個孩子可能需要住院打點滴，等到他不痛了能喝水再回家。「疱疹性齒齦炎」發病的期間不要讓孩子吸吮手指或揉眼睛，可能會讓疱疹病毒侵犯手指頭，甚至感染到眼睛的角膜，這可是很嚴重的併發症。

對了，疱疹病毒其實是有抗病毒藥物可用，這點比腸病毒好一些，但並不常使用，因為效果不是很明確，而且很貴。

也許「多洗手與戴口罩」是預防疾病的老生常談，但確實也沒其他更好的方法了。腸病毒沒有外套膜，不怕酒精，必須使用肥皂洗手，嚴格遵循「溼、搓、沖、捧、擦」與「內、外、夾、弓、大、立、腕」這些洗手步驟，以及使用含氯漂白水清潔消毒，才是標準的防治措施！

咳
咳

第3章

哈啾！咳咳——呼吸道的細菌與病毒

1. 一號鐵雄：肺炎鏈球菌

因為疫苗與公共衛生的進步（這句話好常出現在本書），兒童的細菌感染疾病其實愈來愈少，以前教科書裡好多種細菌感染，現在台灣幾乎都已經看不到了。然而這麼多年來，有一隻細菌仍在小兒呼吸道感染症裡猖狂，穩居龍頭寶座，它，就是大名鼎鼎的「肺炎鏈球菌」。

小兒感染性疾病中最重要的細菌，肯定非肺炎鏈球菌莫屬。這隻細菌雖名為「肺炎」，但它造成的疾病不只是肺炎而已，凡屬橫隔膜以上的器官都有可能被感染，也就是中耳炎、鼻竇炎、腦膜炎等等。

但是別誤會了，從另一個角度來說，很多小朋友住院，被診斷是「肺炎」或「支氣管肺炎」，八〇％都「不是」肺炎鏈球菌感染。這些常見的肺炎或支氣管肺炎，都還是屬於病毒性肺炎（比如說腺病毒、流感病毒），或是黴漿菌肺炎。而這些「非典型肺炎」幾乎不太會造成嚴重的病症，所以下次媽媽們聽到「肺炎」二字，實在不需要再哭得梨花帶淚了。

同樣的邏輯存在於鼻竇炎、中耳炎和腦膜炎。只有一五%左右的鼻竇炎和腦膜炎是細菌感染，其他大多是病毒造成的。中耳炎比例比較高一些，六〇%以上都可以找到細菌，其中一半以上是肺炎鏈球菌。

肺炎鏈球菌的攻擊

回歸到正題。肺炎鏈球菌平常會寄生在某些人的咽喉處，可能是你，也可能是我，或者是隔壁人家的小朋友。這些被肺炎鏈球菌寄生的主人，平常可能沒事，忽然來了個小感冒，抵抗力變差，這隻細菌就會突破僵局，展開攻擊。

小兒科醫師都知道，大部分的肺炎鏈球菌感染，常常是發生在一個無關痛癢的病毒感冒之後。經過兩、三天的感冒，病毒把主人的免疫系統搞得七昏八素之時，肺炎鏈球菌趁機悄悄地入侵肺部、中耳腔、鼻竇，甚至是腦膜。所以並不是「咳嗽太久會變成肺炎」，而是「肺炎常伴隨在咳嗽之後」，順序應該是如此。

那麼要怎麼分辨是感冒，還是細菌性肺炎呢？如果是細菌感染，一定會有發燒和咳嗽

這兩大症狀，如果沒有發燒，基本上就不太可能是細菌性肺炎。但如果孩子的感冒突然變嚴重，發高燒、精神變差，還有呼吸急促，就很有可能細菌已經開始進攻了，最好趕快到醫院看醫生。

肺炎鏈球菌是細菌的一種，所以必須用抗生素治療。嚴重的腦膜炎和肺炎必須住院使用注射型的抗生素，而比較不嚴重的中耳炎與鼻竇炎，則在家用口服抗生素就可以了。不過現今台灣有一個很大的問題，就是愈來愈難纏的的抗藥性細菌，導致在門診的口服抗生素都要用到很高的劑量才有效；甚至單純的中耳炎，經過數天的治療若仍然不見好轉，最後還可能要住院治療。

為了要避免抗藥性的問題繼續惡化下去，除了謹慎使用抗生素不要濫用之外，疫苗的發展自然是首要之務。然而，肺炎鏈球菌的分型總共多達九十幾種，每一種肺炎鏈球菌的抗體都不一樣。這麼多種型別的細菌，要選哪幾型來製造疫苗，的確讓發展疫苗的科學家相當頭痛。

早在一九八〇年代，就有科學家從這九十多型當中挑選了二十三隻肺炎鏈球菌，做成

了我們目前所熟知的「二十三價莢膜多醣體肺炎鏈球菌疫苗」。據說前台塑集團的創辦人王永慶先生，當年曾因感冒引發肺炎，身體不適，後來病癒後，經醫生建議注射疫苗，感覺非常安心，身體也相當健康，因此決定愛屋及烏，送給全台灣所有老人一支免費的疫苗。因此這幾年來，七十五歲以上的老人可以打一劑肺炎疫苗，就是王老先生的德惠。

尷尬的是，雖然這種舊疫苗優點是可以保護高達二十三種不同型別的細菌，範圍相當廣，但是對兩歲以下的幼兒並沒有效果。即便是打在年齡較大的小孩，二十三價疫苗的局部副作用也比較大，保護力持續得不夠長。還有更糟糕的消息，研究者發現，雖然打完疫苗之後兩、三年抗體很高，但經過五年後，抗體不止愈來愈低，免疫力還更差。數據顯示，五年之後，如果再打一次這種舊的二十三價疫苗，對抗肺炎鏈球菌的抗體並不會再度高起來，而且如果這時候生病，死亡率似乎比沒打疫苗還要高一些！

新型肺炎鏈球菌疫苗的上市

看來是讓舊型二十三價疫苗退休的時候了。二〇〇〇年開始，醫界見證了一段跟抗生

素發明一樣偉大的歷史轉折，就是新型肺炎鏈球菌疫苗的上市。

如果一個通緝犯走在路上，戴帽子又穿風衣的，不見得每個警察都認得他；但如果通緝犯拿著一把槍，警察就一定會認出他來了。新的肺炎鏈球菌疫苗又叫做「接合型疫苗」，就是把細菌的片段加上一把「槍」，一顆蛋白分子，全身的免疫細胞就衝出來了，不只反應好，還可以產生記憶，以後再遇到就讓你好看。

因為技術的關係，沒辦法一次囊括二十三型，所以剛開始疫苗只有選擇七型的肺炎鏈球菌，叫做「七價接合型疫苗」。七價疫苗進入美國幼兒的公費系統之後，侵襲性肺炎的數字快速滑落，兒童病例減少了將近九成，真的很驚人！

更出乎意料之外的是，雖然疫苗是打在小孩身上，全國老人的肺炎病例也突然往下掉，下修了將近兩成。這個現象證明了兩件事：第一，接合型疫苗可以清除兒童鼻腔攜帶的肺炎鏈球菌，包括那些還沒發病的帶菌者。第二，過去我們都懷疑老人家的肺炎，可能感染自家中的孫子、孫女，但沒有明確的證據。經過兒童接種肺炎疫苗後，對家中的老人也能給予保護，我們只能對過去的阿公、阿嬤說：「真歹勢，真正係給囡仔害ㄟ！」

目前七價疫苗已經功成身退，由更新的「十價」與「十三價」接合型疫苗接手。很多人都在問，這兩種疫苗哪一種比較好？如果單純以肺炎鏈球菌的預防而言，十三價當然比十價好，這是簡單的數學問題。但是，十價疫苗名字取得不好，它其實應該叫做「肺炎鏈球菌與嗜血桿菌二合一混合疫苗」，可以同時預防另一種「不分型嗜血桿菌」的感染。搞半天這兩種疫苗根本就是橘子跟香蕉的比較，誰比較好？看來是永遠不會有答案了。

2. 二號大明：流感嗜血桿菌

流感嗜血桿菌，聽起來好像吸血鬼家族的成員，其實是另一隻呼吸道重要的細菌，然而因為疫苗的普及，它最光輝的時代已經過去了。

在上一個世紀，「肺炎鏈球菌」與「流感嗜血桿菌」是兒童細菌感染的兩大龍頭，這兩隻細菌競爭的白熱化，甚至放在培養皿當中都還會互相攻擊對方，真的是很幼稚。

為什麼這隻細菌叫做「流感」嗜血桿菌呢？原來在一九三〇年代之前，大家因為對病毒還不了解，誤以為全球大流感的罪魁禍首是它。這當然是可以理解的，因為流感病毒感染之後，常常併發嚴重的細菌感染，而其中之一就是這隻嗜血桿菌。

在流感嗜血桿菌家族當中，最重要的暴力分子，就是排行老二的「b型嗜血桿菌」。（歷史上有許多排行老二的人都很強悍，比如說唐太宗、甘迺迪，還有林書豪？）「b型嗜血桿菌」不只也會造成肺炎、中耳炎、鼻竇炎、腦膜炎，還有一個肺炎鏈球菌學不會的獨門武功，就是造成致命的「會厭炎」！

歷史故事咱們就此按下不表了。總之自一九八〇年代始開始全面接種疫苗，到九〇年代併入五合一疫苗（五種疫苗混合成一支，分別為白喉、百日咳、破傷風、b型嗜血桿菌，以及小兒痲痺），b型嗜血桿菌就像過氣的明星一般，幾乎是絕跡了。台灣從二〇一〇年開始，也將五合一疫苗併入幼兒的常規疫苗當中，等於正式宣告小兒科醫師未來大概看不到這隻細菌的蹤影了。

老二被撲殺，老大終於有機會露臉。現在有些a型嗜血桿菌的感染出現，不過畢竟功力有差，致病力沒有b型那麼強。目前整個家族中，最引人注目的還是它的表弟，所謂「不分型嗜血桿菌」的出現。

不分型嗜血桿菌因為沒有穿外套掛名牌，所以無法區分是哪一型，科學家乾脆稱之為「不分型」。本來這隻小表弟不怎麼厲害，沒想到二哥陣亡了，最大的競爭對手肺炎鏈球菌這幾年也被新的疫苗打得慘兮兮，蜀中無大將，自然而然地就冒出頭來。

以中耳炎為例，自從有了肺炎鏈球菌疫苗之後，中耳炎的病例在漸漸變少，而且致病的細菌版塊也開始改變，在美國，「不分型嗜血桿菌」異軍突起，取代肺炎鏈球菌與b型嗜

血桿菌，成為最常見的細菌種類。另外一個新發現是，許多慢性咳嗽患者，不管是老人還是兒童，呼吸道中都帶有這種不分型嗜血桿菌，好像這種細菌會long stay在你身上，你也殺不死它，它也殺不死你，僵持不下，讓病人整天都咳嗽有痰。

還記得上一篇文章提到的「十價肺炎鏈球菌疫苗」嗎？我說它的名字取得不佳，應該叫做「肺炎鏈球菌與嗜血桿菌二合一疫苗」，其中的嗜血桿菌指的就是「不分型嗜血桿菌」。這支疫苗因為針對了兩種中耳炎最常見的細菌，理論上對於中耳炎的保護力，會比十三價好。另外老人的慢性咳嗽部分，也已經有針對這隻細菌的疫苗正在研發，希望未來能夠帶給他們幫助。

這一切的一切，都是為了一個目的：藉由疫苗的接種，減少抗生素的使用量，讓抗藥性的問題不要再惡化下去。

3. 驚奇四超毒：腺病毒、流感病毒、呼吸道融合病毒、副流感病毒

感染兒童的呼吸道病毒其實非常多，如果我今天每一種都詳細介紹，這本書將會非常乏味。

就像我們看電影，總希望劇中人物各有特色，角色鮮明，這樣觀眾才能分辨出誰是好人，誰是壞人。然而「病毒感染」這部電影非常難看，因為每一種病毒造成的症狀都差不多，臨床上幾乎無法分辨，很多時候劇情都已經到了尾聲，還不知道主角是誰！

所以本人在此特地挑選四種特色比較鮮明的呼吸道病毒，也是常常在報章雜誌上出現的卡司，來跟各位介紹一下。這四種病毒症狀都很類似，同樣會造成一般感冒、肺炎、急性細支氣管炎、中耳炎和鼻竇炎等等。我們試圖同中求異，在症狀當中尋找一些蛛絲馬跡，可以給醫生一點線索，來做鑑別診斷。

❶腺病毒

綽號：燒久姬

一般症狀：發高燒、咳嗽。

特殊症狀：眼睛泛紅、結膜炎、扁桃腺化膿、頸部淋巴結腫大。

英勇事蹟：常常燒超過七天，把醫生嚇得半死，把家長累成人乾。

檢驗方法：咽喉採檢送病毒培養，培養出病毒需要七天甚至更久，常常病人都痊癒回家了，報告才出來。

對付它的方法：無，只能多喝水、多休息。

注意事項：

腺病毒患者抽血檢查中白血球與發炎指數經常偏高，因此常被誤認為細菌性的感染，其實不然。但不可諱言的，腺病毒也可能在感染後數天併發細菌感染，所以對於每一位兒科醫師而言，如何做出正確的診斷，適時地使用抗生素，真是一項大考驗。

❷ 流感病毒

綽號：冬日殺手

一般症狀：發燒、咳嗽、流鼻涕。

特殊症狀：B型流感容易肌肉痠痛。

英勇事蹟：發燒大約三到五天，每年冬天都會大流行，造成幼兒與老人嚴重的併發症。

檢驗方法：咽喉快篩可以迅速診斷，但並非百分之百準確，有時候會造成誤判。傳統的病毒培養需要五天左右，緩不濟急。

對付它的方法：在這四種病毒當中，唯一有口服藥物可以治療，也就是著名的「克流感」，於發病兩天內使用效果較好，孕婦和嬰兒皆可服用。另外還有預防性的流感疫苗，每年秋冬都可接種。

❸ 呼吸道融合病毒

綽號：哮喘製造機

一般症狀：發燒、咳嗽、微喘。

特殊症狀：常引起急性細支氣管炎、氣喘發作、嬰幼兒哮喘，以及久咳不癒超過兩週以上。

英勇事蹟：早產兒與患先天性心臟病的兒童，感染此病毒可能會住院，甚至死亡。它也是造成一般小孩「急性細支氣管炎」住院主要的病毒之一。

檢驗方法：咽喉或抽痰可送快速篩檢，報告兩天內就會出來。

對付它的方法：

有吸入型抗病毒藥物 ribavirin，但是副作用多，又有導致畸胎的可能，所以不會用在每個孩子身上，只使用在加護病房的病童。另外，針對高危險的極度早產兒與先天性心臟病童，健保給付一種對抗病毒的單株抗體（Synagis），可以保護直到一歲或兩歲，但是每個月都要接種一劑。

此病毒感染所造成的急性細支氣管炎，如果沒有影響到食欲及睡眠，居家照顧就可以了。讓孩子喝開水、多休息，吃少一點沒關係，有必要時可使用化痰藥物。若是感染嚴

重，已經喘鳴到不能睡覺，也不肯喝水，才需要住院治療。

住院當中會使用的治療包括使用氧氣帳（讓孩子呼吸比較舒服）、點滴輸液（讓脫水的孩子得到水分補充），以及氣管擴張劑。很多醫院會教導家長拍痰或幫忙抽痰，然而除非是早產兒，或不能移動的臥床病人，否則這些拍痰與抽痰的動作幫助非常有限。

④副流感病毒

綽號：鎖喉王

一般症狀：發燒、咳嗽、鎖喉。

特殊症狀：造成「哮吼」疾病，咳起來像狗吠，聲音沙啞，呼吸困難。成人如果得到此病毒，也會沙啞的說不出話來。

英勇事蹟：如果鎖喉太過嚴重，小孩可能因為呼吸困難，半夜被送到急診室急救。

檢驗方法：咽喉採檢送病毒培養，培養出病毒需要五天，甚至更久。

對付它的方法：無，喝開水多休息，大約一～兩週會痊癒。在家可以使用氣霧機，或

者浴室的蒸氣，讓寶寶吸入潮溼的空氣，可以紓緩一下症狀。

注意事項：如果鎖喉太嚴重，在急診會先給予一支肌肉注射針，裡面是長效的類固醇，避免繼續惡化。另外，吸入蒸汽的腎上腺素藥可以暫時讓聲帶消腫，哭聲會比較悅耳一點，但是藥效一過，又回到原來的沙啞了。

好啦！我很快地將兒童呼吸道最常見的四大病毒介紹完畢，下次當醫生告訴您可能是哪一種病毒感染的時候，就可以到這裡複習一下。上述介紹的檢驗方法是指「一般的醫療院所」可提供的檢查，某些大型的醫學中心可能會有特殊的快速篩檢，可能需要自費，這裡就不詳述了。

如果您的孩子得到病毒性肺炎，或細支氣管炎，走到了最後還是沒有得到答案，那很有可能就是不屬於這四種病毒的感染。相信我，還有非常多族繁不及備載的病毒，等著感染我們的孩子，我馬上可以列出一長串：鼻病毒、boca病毒、各式各樣的冠狀病毒、HMPV病毒……所以家長們，別再逼兒科醫師一定給您一個清楚的答案，因為這是不可

能的任務。除了流感之外，所有的病毒都無藥可醫，只能症狀治療，所以就算知道了答案，也只是心理上對「真相」的渴求吧！

最後一提，拍痰與抽痰對活動力正常的孩子而言，都沒多大的效用，就請大家高抬貴手，以輕柔安撫取代用力拍痰吧！

4. 我不是黴菌！我是黴漿菌

各位還記得在〈第一課：大家比一比〉這篇文章中，幫細菌、病毒比大小的時候，特別提到了一隻叫做「黴漿菌」的傢伙。黴漿菌這個名字取得實在太糟糕，讓幾乎所有的家長都以為是一種跟發黴有關的菌，其實是一點關係也沒有。

黴漿菌的發現已經有一百多年的歷史，當時的發現者是一位生物學家，在研究植物的感染症時，的確誤以為是一種黴菌感染。所謂「一步錯，步步錯」，這樣的錯誤命名一直到今天，讓我們大家都被這隻細菌的名字搞糊塗了。

黴漿菌是一種細菌，但沒有細胞壁，乃細菌界之無殼蝸牛。對人類而言，這不是一個好消息，因為大部分的抗生素，包括盤尼西林，都是藉由破壞細胞壁來殺死細菌的。這隻聰明的無殼蝸牛丟掉了攻擊的目標，很多抗生素對它就沒輒了。

幸好，黴漿菌傳染力雖強，但將近一半的人感染了它卻一點感覺也沒有，症狀十分輕微。剩下一半的病人雖然會咳嗽，就算不治療，大部分也會自行痊癒，只是時間長短不同

而已。只有少部分的病人，會引發肺炎與發燒。

就算是得了肺炎，英文有一個詞形容得到黴漿菌肺炎的病人，叫做 walking pneumonia，也就是「會走路的肺炎」。一般細菌性肺炎的病人，比方說得到肺炎鏈球菌好了，通常是全身癱軟地躺在床上喘，一點力氣也沒有。但是得到黴漿菌肺炎的病人，即使胸部X光看起來發炎得很厲害，依然可以在路上走來走去，一派輕鬆的模樣。所以如果約翰先生得到了這種肺炎，依然是優雅的「Johnnie walker」。

分享一個病房常見的狀況。小 Johnnie 今年四歲，一直燒燒退退，乾咳了兩個星期，才來到我的門診。我詳細問了病史，最後跟阿嬤說：「可能是黴漿菌肺炎感染。」

「哎唷，么壽喔！」阿嬤驚呼，「之前的醫生都是飯桶，看了三、四個，怎麼沒有人診斷出來是這個黴什麼菌的呀？」

我心中暗自鬆一口氣，幸好他拖兩個星期之後才來看我，不然本人也會加入「飯桶醫師群」行列。

這世界上沒有醫生能夠在病人咳嗽的前幾天，就能夠診斷黴漿菌肺炎，除非是因為厲

害咳嗽照了胸部X光發現，或者家裡已經有另一位成員確定診斷為黴漿菌肺炎感染，才可能提前用藥。大部分的醫生，還是選擇觀察與等待，而不隨便使用對抗黴漿菌的抗生素。

為什麼要這麼謹慎地使用抗生素呢？去年在長庚醫院報告一對兄妹感染肺炎，經過抽血和X光檢查，確定是黴漿菌在作怪，卻怎麼樣也治療不好，最後甚至住進了加護病房。原來這對兄妹的黴漿菌是有抗藥性的細菌，對目前常用的「紅黴素」類藥物都沒有效。根據研究，台灣因為紅黴素的濫用，目前已經有一〇％的黴漿菌具有抗藥性！這就是把抗生素當做維他命來使用的結果。

這則新聞有兩個延伸思考：第一，先不要害怕，黴漿菌肺炎大部分不會搞到住進加護病房，這對兄妹的狀況其實是特例。第二，黴漿菌肺炎是非常普遍的疾病，佔所有肺炎病例約五分之一，甚至更高。如果其中有一成的細菌是有抗藥性，表示有非常多的病人，在門診吃了「無效」的抗生素，痊癒了，卻誤以為是藥物的功效，其實是自己的抵抗力殺死黴漿菌的。

抗藥性的問題對兒童尤其重要，因為將近五分之一的兒童在學齡前就得過黴漿菌，萬

一對紅黴素產生了抗藥性，其他能治療黴漿菌的藥物都有年齡限制，在八歲以下，其實是沒有別的藥物可以使用了。而對那些氣喘、極度早產，或是呼吸道異常的兒童，他們才是最需要藥物治療的族群，卻因為抗生素的濫用，只能使用對兒童具有風險的二線藥物，是極不公平的。

不過，醫生還有一個最大的難題，就是黴漿菌幾乎無法早期確定診斷。目前大部分醫療院所，能夠用來診斷黴漿菌的唯一方法，就只有抽血檢驗抗體。偏偏黴漿菌的抗體要兩個星期才會升高，甚至更久，所以第一次抽血的結果常常不準確，要兩週後第二次抽血，才能確定診斷。家長若是為了診斷的正確，就看您願不願意挽起孩子已經健康的手臂，再給醫生抽第二次血，以明真相了。

各位看到這裡，會不會覺得有點沮喪呢？黴漿菌真是個狡猾的傢伙，因為無法早期診斷，醫生只好憑經驗治療，結果又可能會造成抗藥性比例增加。

我倒是有個方法減少紅黴素的使用。如果家裡有兩名成員，相隔三、四天接連著感冒，比如說哥哥傳染感冒給弟弟，三天就發病了，可能就不像是黴漿菌的感染，可以暫時不使

用紅黴素。為什麼呢？因為黴漿菌的潛伏期很長，至少一週以上，甚至可達三、四週。相隔三天發病的話，大概是病毒感染才會這麼接近吧！

對於黴漿菌感染，如果要吃紅黴素，我會建議直接吃第三代的 azithromycin（日舒）給小兒科的病人。我分析給各位聽就知道：紅黴素味道很苦，一天要吃四次，療程要兩週；日舒比較不苦，一天吃一次，療程三天到五天。各位如果有親自餵過孩子吃藥，就知道我多麼有良心了。

5. 著涼真的會感冒嗎？

期待已久的寶寶出生了，一同照顧新生兒的婆媳卻大戰數百回合，第一個爭執點，就是「穿多穿少」的問題。

「穿多一點，才不會著涼！」婆婆說。

「媽，別再給寶寶添加衣服了，你看他都熱到滿頭大汗了！」媳婦心疼得大叫。

為了穿幾件衣服，半夜會不會踢被子，流汗是否吹到風，洗澡水用幾度，兩代之間，甚至夫妻之間，鎮日劍拔弩張，爭論不休，就是怕孩子傷風感冒。到底古人流傳下來的「著涼會感冒論」，是否合乎科學呢？

事實上不只是台灣，就連西方傳統醫學也認為「冷」和「感冒」有某種程度的關聯，君不見英文的感冒就叫做「common cold」，告訴別人我感冒了就是「I caught a cold.」，直接譯成中文「著涼了」，還真是一模一樣！

不過現代醫學不應該是老前輩說了就算，還是必須經過實證研究來證明之。早在一九

六八年，就有美國的學者找來四十四名志願者，給他們噴一劑含有「鼻病毒」的精華液（噁！），然後分成兩組：一組請他們享受一下攝氏三十二度的溫泉，另一組則被丟到攝氏四度的冰櫃裡。經過數天的觀察，專家們記錄大家感冒的狀況以及抽血的結果。

不知道當年冰櫃組員是否拿到比較多的佣金，因為最後的結果顯示，泡溫泉和睡冰櫃的結果並沒有什麼差別，不論是發病率或是症狀的嚴重度都差不多。這篇文章刊登在擲地有聲的《新英格蘭醫學雜誌》，做出「著涼不會加重感冒」的結論，這項爭議自此似乎拍案定奪了。

直到二〇〇五年，有研究者不信邪，再次安排了一項研究。這次他們不噴病毒精華液了（醫學倫理上也已經不允許這麼做），直接請九十位學生脫下鞋子和襪子，在攝氏十度的冰水桶裡面泡個二十分鐘，另外九十位學生則什麼都不做，在旁邊看熱鬧。回家以後，這些學生每天要為自己的症狀評分，有沒有鼻塞、流鼻涕、咳嗽等等。五天後，腳浸冷水的同學中有十三名感冒，沒浸冷水的則有八名，如果以症狀評分的話，浸冷水組感冒的症狀平均比沒浸的高了將近兩倍。原來，著涼真的會增加感冒機率呀！

好啦，現在一比一平手，大家各說各話，究竟該聽誰的呢？

從這兩篇相隔四十年的研究，我們倒是可以得到幾個有用的線索：

❶如果有病毒直接噴到你的鼻子裡，不管你有沒有「著涼」，都會感冒的。也就是說，感冒還是要有病毒感染才會發生，如果把人放在一座無菌無病毒的冰櫃，他只會失溫，並不會因此而感冒的。你問我怎麼證明？問問愛斯基摩人就知道啦！如果光是「著涼」就會生病，那麼他們應該早就滅種了。

❷從四十年前冰櫃與溫泉的研究可以知道，如果一個人已經感冒了，病毒量已經很多，此時再來泡溫泉保暖，並不會讓生病比較快痊癒。所以當孩子正在發燒發熱的時候，就別再幫他蓋棉被了，穿得剛剛好，選擇可以透氣的衣服才舒服！

❸在日常的生活中，適當保暖可能是重要的，但也不需矯枉過正。有專家對於「著涼會造成感冒」的現象解讀是，因為人每天都會接觸到各式各樣的病毒，而這些病毒可能黏在鼻腔或呼吸道，卻被我們上皮組織的免疫細胞阻擋著，無法進到身體裡。但若突然遇到冷空氣，或是踩進冰冷的水桶裡，鼻腔的血管會馬上收縮，造成免疫細胞供應不足，這時

候病毒就可以突破重圍，造成疾病的產生。

浸水桶的研究當中，室溫是攝氏二十五度，水桶是十度，溫度相差高達十五度，鼻腔的血流可能因此突然收縮。但是一般孩子多穿一件衣服與少穿一件衣服，一定不會相差到十五度這麼誇張的。大概只有在寒冷的冬天，被雨淋得全身溼透，那才可能真的因此「著涼而感冒」吧！但即便是如此，九十個人著涼，也只多出五個感冒病例，大部分的人腳浸了冰水桶還是健健康康的。

我個人對於這樣的解釋是可以接受的。各位不知道有沒有想過，小兒科醫師其實是一個高危險的行業，每天碰到的病毒比一般人多出好幾倍，每一季流行的病毒，我們應該都不會錯過。然而大部分的日子裡，我都還是健康無恙，並非無時無刻都在感冒；但每次只要抵抗力一弱，比如說熬夜，或是「著了涼」，感冒症狀馬上就會出現。這些病毒應該已經在我的鼻腔潛伏了好幾天，只是屢攻不下，忽然間免疫系統失守，防禦工事一潰堤，可惡的小傢伙就得逞啦！

所以身為感染科醫師，我的建議是：天冷還是要注意保暖，不要讓孩子突然失溫，但

請各位也不需要為了一、兩件外套吵翻天。這多出來的外套並不會減少孩子感冒的機率，溼疹倒是冒出一大堆，反而更加得不償失！

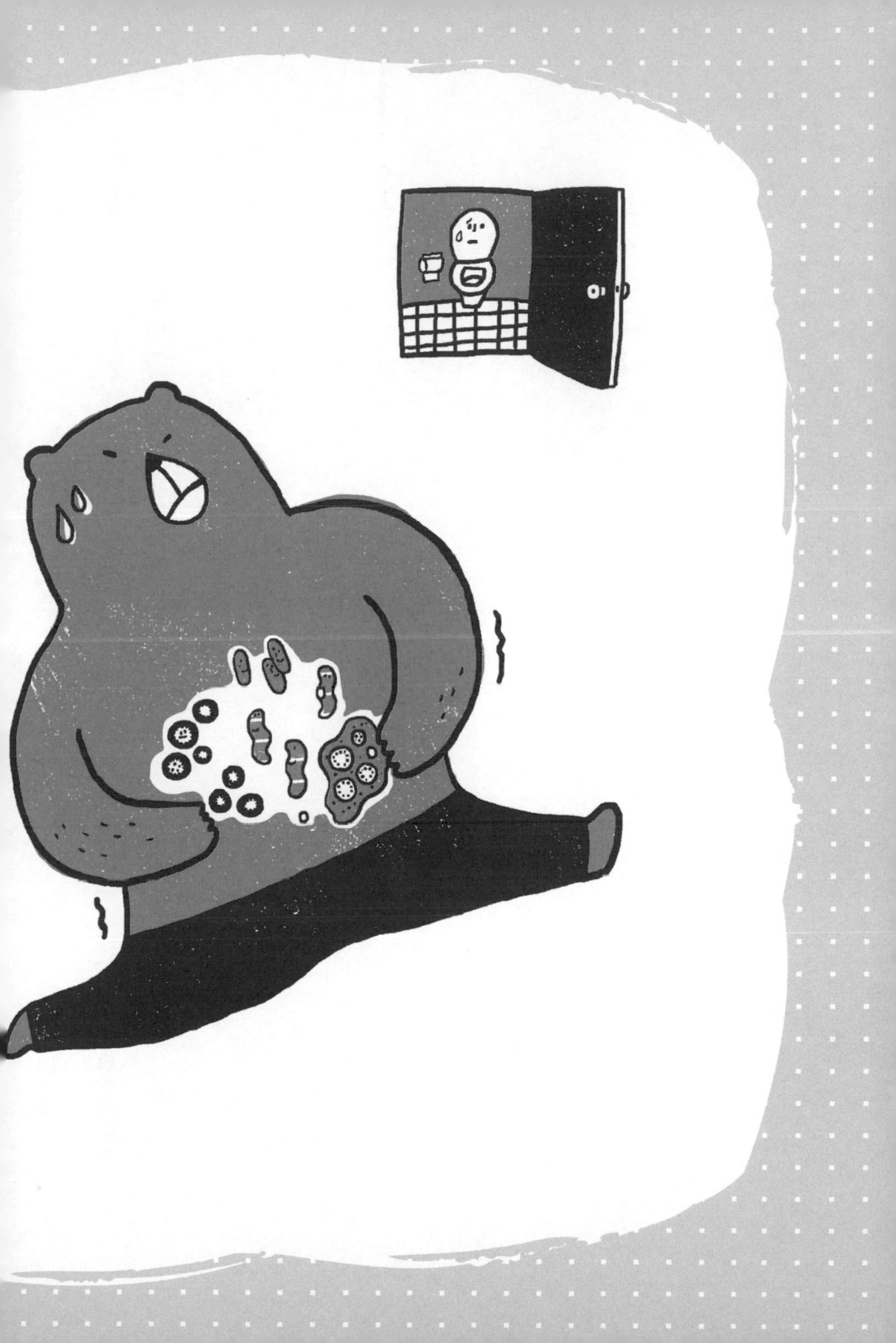

第4章

別在我的肚子裡搞怪——腸胃道的細菌和病毒

1. 遊走於各種動物之間：沙門氏菌感染

「吃壞肚子」這句話被大家用了不知多少遍，但是到底吃壞肚子是什麼意思，恐怕大部分的人都講不清楚。

其實答案很簡單，所謂吃壞肚子，就是吃入了讓人生病的細菌或病毒到肚子裡，產生了症狀，也就是本書的重點：「感染」。

這些可惡的細菌或病毒，可能來自腐敗的食物，下廚者沒洗乾淨的手，或者污染的水與食材。有些細菌、病毒只要一兩隻吃到肚子裡，就夠你受的了，也有些細菌比較遜咖，需要大量攝取才會致病。反正病從口入，絕對不會無中生有的就是了。

兒科醫師常常喜歡用糞便的形態與顏色，來猜測是病毒還是細菌感染。通常病毒造成的腸胃炎，其糞便比較稀、黃、水，比如說輪狀病毒感染或諾羅病毒（Norovirus）感染。而細菌性腸胃炎則是黏、臭、綠、有血絲，常見的菌種有沙門氏菌（Salmonella spp.）、彎曲桿菌（Campylobacter）與產氣單胞菌屬（Aeromonas spp.）等等。不過這些都是經驗談，

並非百分之百準確。

因為細菌性的腸胃炎通常比較嚴重，所以我們就先從眾所皆知的「沙門氏菌」開始聊起吧！沙門氏菌一共有兩千種以上的型別，是一個家族非常龐大的細菌。這個家族裡曾經最有名的成員，叫做「傷寒沙門氏桿菌」，或稱之「傷寒桿菌」，不知道大家有沒有覺得很耳熟呢？

人若要留名青史，有一種另類的方法可以達成，就是把自己變成聞之色變的生化武器。歷史上得到傷寒桿菌最有名的人，莫過於「傷寒瑪麗」了。

瑪麗是位廚師，除此之外，她也是少見的傷寒桿菌帶原者。帶原者意思是說，細菌住在他的腸胃道（正確地說是膽囊）中，但是不讓宿主生病，所以你不犯我，我也不犯你，就這樣永遠生活在一起。

瑪麗沒有任何症狀，所以她從來不覺得自己有病。偏偏瑪麗上完廁所都不好好洗手，走出洗手間又繼續做菜，因此她的客人一個接著一個地中標，高燒、腹瀉。後來她換工作，到一個家庭做幫傭，整個家族馬上籠罩在傷寒的陰影之下，甚至造成一人死亡。同樣

的故事不斷重演，七年下來，只要她所到之處，必有傷寒與住院跟隨著發生。對於自己的命格如此「帶賽」，瑪麗仍渾然不覺，繼續從事餐飲業，直到警察找上了她。

那個年代還不知道怎麼治療這樣的帶原者，所以當隔離期滿，醫生只能警告瑪麗不可以再從事與廚房相關的工作。瑪麗根本不理會之，改了個名，繼續炒她的菜，這次她更沒良心，選擇在醫院掌廚，結果造成更多人感染，兩人死亡，直到再次被逮捕為止。「傷寒瑪麗」的故事，在造成五十三人感染、三人死亡之後，終於畫下句點。

台灣曾經也是傷寒沙門氏菌的流行區，但因為公共衛生的進步，目前已經近乎絕跡了。但是在我們常常旅遊的東南亞以及中國地區，還是有不少的傷寒病例爆出，因此還是要特別小心。

剛剛說過沙門氏菌有兩千多個兄弟姊妹，傷寒桿菌只是其中一種比較有名的而已，其他族繁不及備載的沙門氏菌，交叉傳染於各式各樣的動物們，包括人、豬、雞鴨、狗貓、爬蟲類或兩棲類等等，真的是一隻很不挑的細菌。

其他的沙門氏菌不像傷寒桿菌這麼惡毒，大部分只會造成腹瀉的症狀，偶爾引起發

燒，以及罕見的化膿性關節炎。

遊走在這麼多動物之間，沙門氏菌與人類最近距離的接觸，還是以每天都會吃的「雞蛋」最多。

常常有家長烹煮與雞蛋相關的料理，手上就沾染了蛋殼或是生蛋的沙門氏菌，但是手還沒有洗乾淨之前，就去抱小孩，或是沖泡牛奶等等，間接地就把細菌送給小寶寶了。沙門氏菌可以存在雞蛋殼的外緣，也可以存在蛋殼的內緣，就算雞蛋看起來很乾淨，其實細菌也可能是存在的。

所以要避免吃進大量的沙門氏菌，有簡單的三個原則：第一，買回來的雞蛋洗過之後放冰箱；第二，食物要煮熟；第三，煮完趕快吃。

我們都知道細菌在溫暖潮溼的環境容易孳生，沙門氏菌也不例外。將買回來的雞蛋趕快放在冰箱裡，可以降低細菌的活性，才不會繁殖太快。稍微用水洗過之後，更可以降低細菌的含量。再來，將蛋煮到全熟，可以殺死大部分的沙門氏菌，減少感染的機會，尤其是要把蛋白煮熟。最後，雞蛋烹調後，如果放在室溫沒有趕快吃掉，一些殘存的細菌可能

因此重新繁殖，因此要儘快把它吃了。

預防沙門氏菌感染的方法

我將預防沙門氏菌感染的方法，條列在下面：

1. 雞蛋要洗過，並且冰在攝氏七度以下的冰箱。
2. 有裂痕或者看起來骯髒的雞蛋要丟棄不用。
3. 放在室溫超過兩小時以上的雞蛋最好丟掉。
4. 碰觸到生雞蛋的手、砧板或桌面，都要用肥皂與水清洗乾淨。
5. 蛋白蛋黃都要烹煮到全熟，而且儘快食用。
6. 如果有吃不完的雞蛋料理，要趕快冰回冰箱。

雖然沙門氏菌是如此無孔不入，但因為我們的胃酸可以殺死它，所以一般人吃進去的細菌量要很大（十萬隻以上）才會致病。當然在免疫力比較差的族群，可能少量的菌也可

能會致病，包括嬰幼兒、老人、免疫不全的病人，還有吃制酸劑胃藥的人等等。這些族群，要更加注意，避免吃到未煮熟的蛋。

感染沙門氏菌十二到七十二小時之後，可能會發燒、腹瀉、血便等等症狀。雖然大部分病患都會自然痊癒，但在三歲以下的嬰幼兒，這隻細菌可能會突破腸胃道，跑到血液裡，變成全身感染的菌血症，那就麻煩大了。沙門氏菌在兒童的血液中也會四處游泳，游到關節腔裡，造成化膿性關節炎，是僅次於金黃色葡萄球菌的常見致病菌。

有鑑於此，雖然三歲以上的兒童感染沙門氏菌，大概不需要抗生素治療，但是三歲以下的小病人，就可以「考慮」使用抗生素。「考慮」的範圍其實並無一定的標準，完全根據醫師的經驗決定，只要病童的精神不太好，或是發炎情況似乎比較嚴重，抗生素治療都還是必要的。萬一沙門氏菌已經竄入血液之中，在血液培養報告找到，那就一定要使用抗生素治療完整的兩週，不然這隻狡猾的細菌很有可能過一、兩週又重出江湖，從其他地方冒出來攻擊！

最後還是提醒大家，為了全家人的健康，在廚房工作之後，一定要先洗手，再來處理寶寶的食物唷！

2. 小心誤診被抓去開刀：彎曲桿菌

十六歲的大男生抱怨肚子痛已經一個星期了，他已經去診所與醫院求治三次，依然沒有改善。

兒科醫師最害怕的症狀就是腹痛，因為幾乎所有生病的小朋友都會喊腹痛，從咽喉炎到肺炎，腸胃炎到泌尿道感染，甚至心情不好，每個人都跟你說肚子痛。

幸好這個大男生有明顯的腹瀉，所以應該是腸胃道的問題。他說一開始拉得很厲害，之後症狀雖然漸漸緩解，一天剩下兩、三次稀便，但是肚子痛一直沒有好轉。前幾天他實在痛得受不了，到急診室打點滴，做了一系列的檢查，一度被認為是盲腸炎，差點送去開刀，幸好後來證明不是這個問題，但疼痛的問題依然沒有解決。

腸胃炎主要分為細菌性與病毒性。細菌性的腸胃炎常見的菌種是沙門氏菌、彎曲桿菌與產氣單胞菌屬等等；而病毒性的腸胃炎則是以輪狀病毒（小孩）、諾羅病毒（Norovirus）（大人小孩都有）居多。不管是細菌性或者是病毒性的腸胃炎，治療都是屬於支持療法為

主，也就是以「幫助孩子度過生病的日子」為主要目標，而不是投予抗生素或者某種神奇的藥物治療。

在細菌性腸胃炎當中，有一種細菌跟肚子痛非常有關係，而且正如這位孩子所經歷的，會痛到被誤認為盲腸炎的，那就是彎曲桿菌。彎曲桿菌在台灣的細菌性腸胃炎裡居第二名，在美國，甚至已經躍升為第一名的致病菌。這隻彎曲桿菌跟沙門氏菌一樣，常常在雞身上寄生，因此任何沒有煮熟或者汙染的雞肉，都會帶有這隻細菌。

彎曲桿菌比沙門氏菌還要厲害，只要吃下五百隻細菌，您就被感染了。感染的年齡有兩個高峰：四歲以下的小小孩（開始嘗試新的副食品），以及十六、七歲的年輕人（離家自己開始煮東西吃或自行出去外食）。感染之後的症狀有輕有重，有些人完全沒有症狀，但大部分的人是會腹痛、腹瀉、發燒，一個星期左右會自然痊癒。在美國有少數的病人，得了彎曲桿菌之後被送到開刀房，把盲腸割掉了，才發現根本不是盲腸炎，就知道他們肚子有多痛了。

輕微的腸胃炎是不需要抗生素治療，只需要多補充水分，吃清淡、以澱粉質為主的飲

食，比如說稀飯、白飯、白饅頭、白吐司、白麵條、蒸馬鈴薯泥等等。年紀比較大的患者、孕婦或免疫不全者，因為免疫力比較差，疾病可能會轉為慢性，症狀持續超過一週以上，這時候抗生素（紅黴素類藥物）可以幫忙快點清除掉這隻細菌，免受腹痛之苦。這名大男生症狀持續超過了一週，也就表示他的抵抗力太差了，大概每天晚上都在熬夜打線上遊戲。

為了證明我的診斷，請護士替病人做了糞便的培養，並囑咐他不要再熬夜了，早睡早起身體好，然後給他三天的藥物。糞便培養證明我的診斷：Campylobacter jejuni（小腸彎曲桿菌），case closed！

3. 一樣吐與瀉：輪狀病毒與諾羅病毒

細菌性腸胃炎雖然恐怖，但是大部分孩子得到的，還是以病毒性腸胃炎為主。「病毒性腸胃炎」這六個字對一般家長而言，似乎不容易理解。因為每次媽媽問我寶寶為什麼會拉肚子的時候，我若是回答「病毒性腸胃炎」，常常換得一陣困惑的眼光。「腸胃炎？是吃了什麼東西嗎？」大家對腸胃炎的印象，就是吃壞肚子。

「不一定是吃東西造成的，只是病毒感染。」

「病毒感染？可是他沒有打噴嚏、咳嗽呀！」媽媽疑惑地問。

好幾次被問到這個無厘頭的問題時，我總是錯愕地答不上話，心裡ＯＳ著：我錯過了什麼嗎？

經過多年的體會，我才漸漸理解，原來在很多人的認知裡，「病毒」是跟感冒連在一起，而「發炎」則是與細菌有關，這是一種根深柢固的奇怪概念。所以病毒感染應該是咳嗽流鼻涕，腸胃發炎就應該是細菌感染，醫生把「病毒」跟「腸胃」兩個詞放在一起，聽

起來就是渾身不對勁。

不只是台灣民眾有此困擾，國外的媽媽也常常搞不清楚病毒是什麼，於是有聰明的醫生為了方便解釋，乾脆發明了一個詞，叫做：stomach flu（腸胃型感冒）。

非常奇怪，一講「腸胃型感冒」，就算從來沒聽過這個說法的家長，也就「喔～」地點頭稱是，可能在大家的腦海裡，就浮現著腸胃細胞打噴嚏、咳嗽的畫面吧！總而言之，病毒性腸胃炎，就是腸胃型感冒；我雖然很不喜歡這個詞，但當我還有二十位病人在門口苦苦等待看診，無法短時間替家長上一堂病毒學的課時，它還真的滿好用的。

喜歡腸胃道的兩隻病毒

每一種病毒都會在人身上找到一個適合的窩，比如說流感病毒喜歡住在氣管，腸病毒喜歡侵犯咽喉和手腳，而腸胃型病毒則喜歡待在小腸裡面。最喜歡腸胃道的兩隻病毒，分別為輪狀病毒，以及諾羅病毒，我們只要認識它們就可以了。

因為輪狀病毒和諾羅病毒對呼吸道沒興趣，所以感染時雖然可能會稍微咳嗽、流鼻

涕，但是絕對不會是主要的症狀，還是以嘔吐、腹痛以及腹瀉，偶爾伴隨發燒等等為主。這兩種病毒雖然品種大不相同，但所造成的症狀還挺類似的，其中以輪狀病毒的症狀更為劇烈。

輪狀病毒的感染年齡非常小，在三歲之前，幾乎所有的小孩都得過一遍以上。初次得到的時候症狀會最嚴重，第二次的感染時候就比較沒那麼慘烈，通常也不需要住院了。雖然輪狀病毒感染是以小孩為主，但是成人也偶爾會中標，危險族群包括新手爸媽，以及小兒科的菜鳥醫師。

曾經有一位學弟拉了兩天肚子，雙眼凹陷，揮舞著虛弱的拳頭問我：「學長，輪狀病毒不是糞口傳染嗎？可是我發誓絕對沒有摸過小朋友的便便，為什麼還是會中獎？」

我可以看出他眼神中的悲憤，因為似乎沒有人告訴過他這個行業的險惡之處。然而眼前的事實是，生病的小孩每公克的糞便帶有十億隻輪狀病毒，而要傳染給下一個人只需要：「十隻」。所以我們根本不需要親嘗糞便的甘美，只要幫寶寶換個尿布，手沒有馬上洗乾淨，抓起一塊餅乾，十隻病毒馬上就吃到肚子裡了！身為負責任的兒科醫師，檢查寶寶

時一定會把尿布解開，這樣的工作內容要不被病毒傳染並且全身而退，我看很難！

諾羅病毒的傳染力就沒有那麼強，病情也沒有輪狀病毒嚴重，甚至沒什麼症狀，但是在某些抵抗力較差的小孩或成人，還是會嘔吐、腹瀉，也會合併發燒。

這兩種病毒的診斷方式都是挖取糞便做檢驗，但是並不是每家醫院都能驗諾羅病毒。話又說回來，和大部分的病毒一樣，輪狀與諾羅病毒都沒有特效藥，所以知道了答案，又能如何？只是求個心安罷了。這些病毒性腸胃炎的處理方式和細菌性腸胃炎一樣，喝電解水，吃清淡、以澱粉為主的食物，搭配收斂糞便的藥物，如果有脫水時要住院打點滴，大概就是這樣了。

在非洲國家，輪狀病毒感染是嬰幼兒死亡率第一名的疾病，非常恐怖。一位非洲寶寶如果得了輪狀病毒，開始劇烈嘔吐，媽媽必須抱著他奔跑去找醫生，因為診所在一百公里之外的村莊！走到半路上寶寶又開始腹瀉狂拉，這時候如果沒有即時的補充水分，可能就難逃脫水死亡一劫。

然而在我們這美麗的寶島上，根本不會有寶寶因為輪狀病毒感染而死亡，因為如果有

一位台灣寶寶嘔吐、腹瀉得很厲害，幾乎要脫水，出門走路幾分鐘就到醫療院所，點滴吊上去，命就保住了。然而即便如此，寶寶若因此住院，打針哭鬧免不了，家長又要請假陪病，對於全家人而言，還是一場大折磨。

所以還是要有疫苗。目前輪狀病毒已經有疫苗可用，但諾羅病毒還沒有。

輪狀病毒疫苗上市已經將近十年，全世界的研究都顯示效果好得不得了，而且沒什麼副作用。這支疫苗是吃的，不是注射的，所以寶寶不用多挨針。按照規定吃疫苗的時程是一個半月到八個月之間，最好是在四個月之前就開始吃，不然會來不及完成兩劑或三劑的接種。吃完之後，雖然還是有可能得到輪狀病毒感染，但是症狀很輕微，住院率可以降低到接近百分之百！

再過十年，如果疫苗夠普及，我看這些急性感染的病童都不需要住院了，兒科病房應該空出來規劃成遊戲室，讓真正需要住院的慢性病兒童有個更溫暖的活動空間。

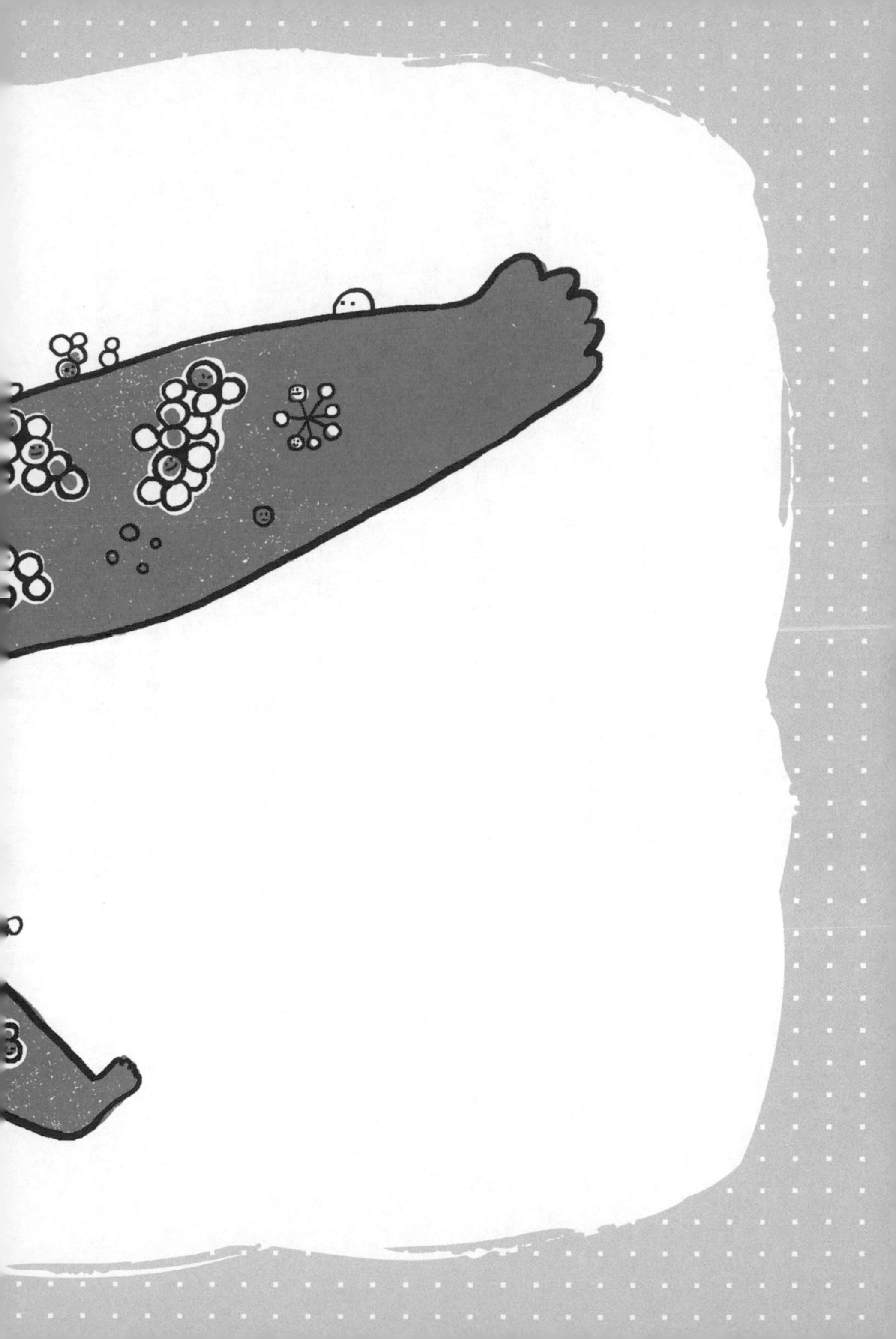

第5章

分出青紅皂白──皮膚上的細菌與病毒

1. 史上最籠統診斷：什麼是病毒疹？

小朋友的皮膚上常常會冒出一些疹子，有大如洋芋片，也有細小如芝麻；顏色有紅如硃砂，也可能淡如玫瑰。

面對這些變化多端的皮膚疹，一般人腦海裡只想到：是過敏嗎？是痱子嗎？大概也想不出第三種可能了。今天我希望大家認識另一個兒童皮膚發疹的原因，叫做「病毒疹」。「病毒疹」其實也不是什麼新玩意兒，舉幾個例子大家就明白：麻疹是病毒疹，水痘也是病毒疹，玫瑰疹當然也是病毒疹，只要是病毒感染，皮膚上冒出來的東西，統統都叫做病毒疹。

這些病毒疹比較有名，是因為它們很有特色：麻疹全身通紅，水痘裡面是水珠，玫瑰疹顏色像玫瑰。然而還有更多病毒疹，其貌不揚，稀稀疏疏，甚至在不同的人身上長得也不一樣，根本無法歸類。病毒疹其實比我們想像的還要多，學齡前兒童每年平均十次以上的病毒感染，很多都伴隨此症狀，甚至有些病毒連感冒的症狀都沒有，就起疹子而已。

就是因為病毒疹這種神出鬼沒的特性，導致許多食物、藥物、疫苗，都背上不必要的黑鍋。

「醫生，孩子對上次的咳嗽藥過敏耶！」媽媽抱怨。

「怎麼說？」

「吃完以後身上長了一堆疹子呀！」媽媽信誓旦旦地說，「一定是那個藥水。」

「嗯，看起來像是病毒疹吧！」我說。

「真的嗎？那是什麼病毒造成的？」

「不知道。」我回答。

「呃……」

經過這段對話之後，媽媽更加確定兩件事，就是她的寶寶真的對咳嗽藥過敏，還有這名小兒科醫師很遜咖，下次不用來看了。

可憐的我。

幾乎所有的病毒都有可能會引發病毒疹，但因為這些病毒疹完全沒有特色，所以我們

不可能知道是哪一隻病毒造成的。如果隨口亂猜的話，診斷「腸病毒引起的病毒疹」，大概可以猜對一半。但一講「腸病毒」三個字，家長大概會尖叫崩潰，所以還是閉嘴為妙。

有些病毒疹只出現一下下，稍縱即逝，也有些病毒疹可以持續長達數月，揮之不去。大部分的病毒疹不會癢，但是偶爾也有會癢的。既然病毒疹的原因如此不明不白，治療當然也是沒有必要的，等它自然痊癒即可。

總之這是嬰幼兒常見的皮膚表徵，下次當醫生告訴您「病毒疹」三個字的時候，微笑點頭，露出「我懂你」的眼神，保證讓他覺得您真的是個行家！

2. 疔疔瘡瘡：討厭的金黃色葡萄球菌

有一天我的膝蓋上長了一顆小痘痘，又叫做疔仔（將近不惑之年，竟然還會長出這種東西）。

剛開始我不以為意，心裡想著：拜託，搞錯對象了吧？我可是感染科醫生耶！什麼大風大浪沒見過。識相的細菌自己死一死吧，省得我來處理你。

當天晚上，沿著膝蓋往上的鼠膝部淋巴結開始疼痛，表示我的第一道防線擋不住，細菌進攻到第二個關卡，也就是免疫細胞最多的淋巴結。「加油啊！白血球們」我依然很有信心，「一定可以戰勝的。」

顯然我的白血球也已經步入不惑之年，不似年輕時候的驍勇善戰。隔天早上，我的膝蓋紅腫熱痛，淋巴結的部位也是，差點連床都下不來。

「蜂窩性組織炎，大事不妙！」我心裡驚呼，想起當實習醫師的時候在外科看過病人，因為蜂窩性組織炎併發嚴重的壞死性筋膜炎，整隻大腿被切開，住院一個多月，不禁全身

發抖！（這就是當醫生的可悲之處，每次生病都想到最糟糕的狀況。）

深呼吸一口氣，將思緒釐清一下，不可以慌張，我可是專家耶！

皮膚感染引起蜂窩性組織炎不外乎兩種細菌：金黃色葡萄球菌，以及A型鏈球菌。所以我口服的抗生素，必須能夠殺死這兩隻細菌才足夠！

於是我到隔壁藥房買了幾顆第一代的盤尼西林類抗生素，藥師本來不賣給我，後來發現我就是電視上那位正牌的醫生，才接受我的「處方簽」。拿到藥立刻吞服了兩顆，感覺正式向我的細菌宣戰！

就這樣自我治療了兩天之後，剛好是下屏東看外公的日子。我從台北高鐵站一路痛到左營，拉起褲管一看，不僅沒有進步，紅腫感覺還愈來愈擴散。這下可真不得了！我懷疑自己感染的這隻細菌，可能是有抗藥性的，第一代抗生素治療無效！

在〈蛇蠍美人：A型鏈球菌〉一文中，我曾經告訴各位「A型鏈球菌」對盤尼西林類的抗生素是不會有抗藥性的，所以矛頭直接指向另一隻細菌：金黃色葡萄球菌。

金黃色葡萄球菌是皮膚感染最常見的細菌，在過去還沒有抗生素的年代，因為受傷而

感染金黃色葡萄球菌死亡的軍人，比在戰場上被槍打死的軍人還要多出許多。自從弗萊明發現盤尼西林之後，傷口感染死亡的病例才大幅降低，但是才沒過多久，金黃色葡萄球菌就開始產生抗藥性了。

之後的一百年，人類不斷地與金黃色葡萄球菌對抗，可以說是互有領先。第一代藥物產生抗藥性，第二代藥物克服了這個問題，之後抗藥性又出現，新的抗生素又接手。本來這些具有抗藥性的金黃色葡萄球菌只出現在於醫院的病患身上，沒想到才短短幾年，現在這些抗藥性細菌已經入侵社區，不需要住醫院，平常有一半的人身上就已經帶著抗藥性的金黃色葡萄球菌了。

我不算一般人，整天在醫院出沒，所以身上帶有抗藥性金黃色葡萄球菌也是合理的。屏東的藥局真的很少，而且大部分都只賣奶粉和壯陽藥，找了兩、三家，才問到我想要的抗生素。

應該是心理作用作祟，我一吃下那藥，彷彿感覺好像比較不痛了。回台北後，當然沒那麼快痊癒，我又多吃了好幾天，還一度把藥不小心搞丟了，才發現台北藥局賣的價錢竟

然是屏東的五分之一。原來這也是一種另類的城鄉差距：在鄉下買藥比較貴。

這故事的結局當然是皆大歡喜：我的腿保住沒有被截肢，而細菌經過一陣頑強地抵抗，終於棄械投降，化為一灘膿水。從我與金黃色葡萄球菌對抗的故事中，有幾個要點與大家分享。

金黃色葡萄球菌寄生的部位大多是在鼻孔、口腔，以及胯下、腋下這些潮溼的地方，如果是異位性皮膚炎的患者，那全身粗糙的皮膚也都是它寄生的部位。雖然寄生的部位很多，但是人體的表皮是很堅固的，要真正入侵到身體裡，造成蜂窩性組織炎，甚至更嚴重的疾病，一定要有傷口產生才可能發生。

因此我常常告訴病人一個概念：被蚊子叮咬不會蜂窩性組織炎，會感染絕對是因為癢，抓破皮，細菌才能入侵，而是通常需要兩、三天的時間。很多小朋友被蚊子叮「馬上」就腫一大丸，紅腫熱痛，還以為是細菌感染，其實那只是神經性水腫，一種過敏反應而已，根本不需要抗生素。

金黃色葡萄球菌一但突破皮膚表層進入身體，就可能四處流竄，造成敗血症、化膿性

關節炎、壞死性肺炎、心內膜炎等等，這些在抵抗力好的人身上都不太會發生，但在免疫力低下的族群就很難說了。

回到蜂窩性組織炎，過去使用口服的藥物就足夠殺死細菌，但現在因為金黃色葡萄球菌的抗藥性增加，治療上遇到了很大的挑戰。這些抗藥性的產生，就是我們醫療業者與畜牧業者，一起用抗生素餵養人類與家畜所造的孽。因為很多抗生素只有成人可以使用，十八歲以下兒童可用之藥非常少，將來很有可能小朋友隨便一個簡單的感染，都必須住院注射對抗藥性金黃色葡萄球菌才有效的「萬古黴素」才行，這不是很可悲的窘境嗎？

幸好最近有一種兒童可以使用，治療多重抗藥性金黃色葡萄球菌的口服抗生素上市了，自費一顆台幣一千七百元，如果早晚各吃一顆，五天就一萬七，買得起的請舉手。

3. 伺機而動的古老疾病：麻疹

麻疹在台灣已經幾乎絕跡，但從來沒有人敢掉以輕心。尤其最近有很多境外移入的病例，新聞報導很嚇人，為了讓家長了解這個消失已久的疾病，我將疾病管制局的宣導資料經過修改之後轉貼上來，如果要更詳細的資訊，可以上疾管局的官網查詢。

首先要強調的是，如果你們家孩子沒有去，也沒有接觸到任何從中國、日本及東南亞來的人，最近也沒有接觸不明原因發燒的其他孩子（如病房裡或學校裡），就真的不要杞人憂天了。台灣麻疹疫苗接種率高達九五％，跟中國和日本比起來好太多了，想得到麻疹還真不是那麼容易！如果您的孩子沒有打過麻疹疫苗，最近又才剛從中國回來，那麼可以看看下面的敘述。

麻疹是經由空氣傳播、傳染性極高的疾病。一個人得了流感病毒可以傳染給一到兩人，但如果得的是麻疹，可以傳染給身邊十個人，可以說是一種非常懂得見縫插針的病毒。

麻疹潛伏期平均為十四天。可傳染期是在皮疹出現前後四天內，因此可能在皮疹未出

現、甚至未被診斷前，就已經傳染給別人。感染初期有三個重要的表徵：咳嗽、鼻炎和結膜炎。當然，還有發高燒。如果有上述的症狀同時出現，記得請您的醫生看看孩子的口腔，有沒有典型的科氏斑（白色的細小斑點在紅色的口腔內粘膜，好像鹽巴灑在肉上）。

麻疹的疹子大多是在第三天左右出現。所以如果您的孩子發燒第一天就出現疹子，那麼恭喜，應該不是麻疹。疹子由頭部往軀幹和四肢散佈，紅色的班狀丘疹，會很不舒服，且全身虛弱，有時會合併拉肚子和嘔吐。一般如果疹子已經出現了，科氏斑也會消失，此時在口腔內已經遍尋不著了。麻疹少數會併發中耳炎、肺炎或腦炎，但機率都不高。疹子大概七天內會消失，發燒則是四天內會退；如果四天內沒有退燒，表示可能有產生併發症，病情會比較嚴重。治療方面沒有任何特效藥或抗病毒藥物，只有隔離，給予支持性療法，等孩子的抗體產生疾病自然會痊癒。

近年來麻疹境外移入病例不斷出現，二〇〇〇年到二〇〇七年確診的六十七例中，就有三十二名是境外移入，主要來自中國、日本及東南亞。二〇〇八年曾發生一起叔叔在泰國感染麻疹後，回台傳染給家裡十個月大、尚未達疫苗接種年齡的幼童。二〇〇八年底也

曾發生群聚事件，指標個案是自中國返台的一歲八個月男童，住院期間傳染給同病房不同病室的其他四名幼童，其中一名兩歲多的幼童再傳染給表哥，表哥因病住進醫院後，再傳染給一名八個月大的女嬰和四十歲的護士。二〇〇九年初又再發生一件群聚事件，指標病例為一名十一個月大女嬰，春節期間曾隨中國籍母親返台，再傳染給同病房之五歲男童。值得注意的是在這兩起群聚感染共十名個案中，多非第一時間診斷為麻疹，由於出現發燒、皮疹或合併結膜炎，分別被診斷為川崎氏症、單純性疱疹齒齦炎、病毒疹或腸病毒感染。去年中國麻疹病例達十三萬人，東南亞、日本、西歐等地近年亦常有麻疹流行。因此如需攜嬰幼兒前往流行地，請確認已完成相關疫苗接種，未完成接種者，最好避免前往。

麻疹的疫苗就是一般十二個月以及國小一年級前會接種的MMR（麻疹、德國麻疹、腮腺炎三合一疫苗）。如果您的孩子已經接觸了感染者，又沒打過疫苗不具保護力，可以在暴露後三天內接種MMR以預防感染。未曾感染且未曾接種過麻疹相關疫苗者，在前往流行區之前，可自費接種一劑MMR疫苗，或是先檢驗確定本身有抗體後再出發；回國後，若有發燒出疹等疑似症狀，請儘速就醫，並避免接觸尚未接種疫苗的幼兒。

（資料來源：行政院衛生署疾病管制局）

項目	麻疹	德國麻疹	猩紅熱	嬰兒玫瑰疹	川崎氏症
好發年齡	>6 個月	>6 個月	>3-5 歲	6 個月～ 2 歲	6 個月～ 5 歲
家族 / 學校病例	++	+	++	±	–
可傳染期	出疹前後 4 日內	出疹前後 7 日內	至有效抗生素使用滿 24 小時		
傳播方式	空氣 / 飛沫	飛沫	飛沫	飛沫	
隔離方式	負壓隔離	單人房	單人房	未要求	未要求
通報時限	24 小時內	24 小時內	不需通報	不需通報	不需通報
咳嗽、流鼻水	++	+【註 1】	±	±	±
結膜炎	++	+【註 1】	–	–	++
柯氏斑	+	–	–	–	–
頸部淋巴結腫	±	++【註 1】	±	±	++
草莓舌	–	–	+	–	+
皮疹	紅色斑丘疹，皮疹有融合的趨勢	紅色斑丘疹，大多不會癢，皮疹只持續 3 日	紅色發癢的丘疹，如同曬傷，摸起來像砂紙	紅色斑丘疹，大多不會癢	多形性紅疹，非水泡
發燒與皮疹的關連	發燒 3-4 天後出紅疹，二者並行數日	一起出現	一起出現	發燒後出現【註 2】	發燒後出現或是一起出現
脫皮	全身皮疹細屑，消退後會留下棕色色素沉澱	–	手腳指及肛門周圍	–	手腳指周圍
盤尼西林	不退燒	不退燒	退燒	不退燒	不退燒

【註 1】德國麻疹：有 20%～ 50%可能為無症狀感染。

【註 2】嬰兒玫瑰疹：偶爾體溫會在出疹一天後才恢復正常，或體溫正常一天後才出疹。

【註 3】+ 表示有此症狀；– 表示沒有；± 表示有的有此症狀，有的沒有。

4. 不是新一點靈：B19微小病毒

幾年前接種疫苗後去世的劉小弟，經過解剖後官方宣稱是得到B19微小病毒的嚴重感染（parvovirus B19）。這是什麼病毒呢？

微小病毒B19是一九七五年從健康捐血者之血清中首次被發現，它被稱為B19，就是因為這位捐血者的血液編號B行十九列，所以微小病毒只有B19，沒有F4，也沒有G8。這種病毒很常見，根據美國疾病管制局的統計，大約五〇%的成人都曾經得過這種病毒，老人甚至八五%曾經得過這種病毒；台灣疾管局也做過類似的調查，約三四%的成人曾經得過這隻微小病毒B19。

您可能會驚呼：什麼？我什麼時候得過微小病毒B19？怎麼都沒印象？是的，您答對了，因為二五%的人得到微小病毒，是沒有症狀的。其它大部分的人雖然有症狀，但可能就是關節酸酸的啦，有點累累的啦，總之就是「不酥湖」個幾天，就痊癒了。

微小病毒Ｂ１９感染的小朋友當中，有一些人會有一種叫做「第五病」的症狀：首先，臉會好像被賞了兩巴掌，紅通通的，有時候額頭也會有，不知道的人，還以為是被家暴了。

第二階段，身上和腳上開始起紅疹，持續四到五天，紅疹像穿過網襪一樣，一格一格的，叫做「蕾絲樣紅疹」。

第三階段，疹子會開始變化多端，而且持續好幾個星期。如果這時候才來看醫生，就很難診斷了。

其他人可能會有的症狀包括：關節痛、發燒、喉嚨痛、皮膚紅或癢等等，總之是個變化多端，又不會很嚴重的病毒感染。

然而壞病毒終究是壞病毒，有兩個狀況是微小病毒Ｂ１９會造成嚴重的併發症，第一個是嚴重貧血。微小病毒Ｂ１９喜歡侵入人類骨髓中之紅血球前驅細胞（erythroid progenitor cells），所以有些人得到了這種病毒會有很嚴重的紅血球再生不良之危機（aplastic crisis）。第二種嚴重的疾病發生在胎兒。媽媽如果懷孕的時候得到微小病毒Ｂ１９，而此

病毒進入胎兒的肝臟與心臟，胎兒會有嚴重的貧血、心肌炎，出生的時候會有胎兒水腫，整個寶寶腫的不成人形，需要輸血與急救。如果媽媽懷孕時得到這種病毒，約二到六％的胎兒會因此流產。

現在我們知道有第三種嚴重的狀況，與疾管局宣稱的劉小弟案例相同。二〇〇五年的《日本感染症雜誌》（Jpn. J. Infect. Dis., 58, 149-151）報導，有一位十歲的小弟弟，因為腦部手術住院當中，突然身上起紅疹（跟劉小弟一樣），並且發高燒、淋巴腫、肝脾腫，抽血發現嚴重貧血與「瀰漫性血管內凝血不全症（DIC）」，最後證實是微小病毒B19感染，經過三個星期的治療之後痊癒出院。診斷為微小病毒B19感染引起噬血症候群，並引發瀰漫性血管內凝血不全症。

事實上，過去文獻上就已經有超過二十篇微小病毒B19造成噬血症候群的報告，並不是那麼的罕見。只是日本這個男孩是少數引起瀰漫性血管內凝血不全症的病例，會不會劉小弟也是同樣的情形？

第6章

生命中不可承受之重——其他重要細菌與病毒

1. 新生兒的第一個威脅：B型鏈球菌

您知道人一輩子最什麼時候最乾淨嗎？答案是還在媽媽子宮裡的時候。胎兒在母腹中因為受到羊膜良好的保護，基本上細菌是滲透不進去的。

在如此安全的環境下漸漸長成，寶寶終於等到破繭而出的日子，「啵」的一聲，當護城河水一瞬之間流乾時，城牆外虎視眈眈的細菌們立刻逮到機會，蜂擁而上。

在這群存在於孕婦的陰道粘膜，策馬入林的細菌當中，最惡名昭彰的一隻，莫過於「B型鏈球菌」了。這B型鏈球菌雖然平常感覺不到它，但其實它一直都在媽媽的泌尿道、產道裡「和平共生」，所以女性不管懷孕與否，都有可能是帶菌者。

新生兒經過產道時，雖然身上沾染了B型鏈球菌，但大部分不會生病；只有少數不幸的寶寶抵抗力輸給細菌，進而造成嚴重的感染，比如說敗血症，或是腦膜炎，甚至死亡。

我的朋友生了一個可愛的女寶寶，滿月之前都沒生什麼病。有一天小嬰兒突然喝奶量減少，有點嗜睡不安，媽媽在她額頭一摸，才驚覺發高燒了！

因為病況緊急，朋友火速將孩子送往附近的醫院，一驗之下，赫然是B型鏈球菌引起的腦膜炎。她急切地打電話給我求助，哭著說當初懷孕的時候，自己有做B型鏈球菌篩檢，也吃過預防性的抗生素，為什麼寶寶還會受感染呢？

目前全世界許多先進國家包括台灣，都有制定避免新生兒感染B型鏈球菌的預防措施。懷孕的媽媽們在滿三十五週至未達三十八週之間，可以搭配第七次至第九次產檢，作陰道B型鏈球菌的篩檢。若身上檢驗出有B型鏈球菌落的媽媽，在快要生產的同時，婦產科醫師會給予媽媽預防性的抗生素治療，幫忙把陰道口的B型鏈球菌暫時清除掉。如果因為急產來不及給予抗生素，胎兒出生後小兒科醫師也會評估其健康狀況，決定是否給予抗生素的治療，以保護新生兒的健康。

經過這麼周詳的預防措施，近十年來在台灣的確達到了成效。以前B型鏈球菌是導致新生兒腦膜炎的頭號殺手，但經過媽媽篩檢與預防性投藥的策略，B型鏈球菌感染漸漸減少，大腸桿菌反而變成第一名了。

不過專家們也發現，這樣的防護措施只能保護到出生一週，之後有少數寶寶在一個月

左右的年紀，才得到所謂「晚發型」的B型鏈球菌感染，這樣的疾病發生率卻沒有因此減少。大家都很好奇，一個月左右才生病的寶寶，這隻細菌是從哪裡來的呢？有人認為，可能B型鏈球菌一直躲在寶寶喉嚨的粘膜，伺機而動，一個月時才突然爆發；也有人認為，是媽媽上完廁所沒有好好洗手，藉由汙染的手把私處的細菌，又再傳染給寶寶。

不管原因為何，總之要提醒曾經篩檢出B型鏈球菌的媽媽們，在寶寶出生後兩個月內，還是不要掉以輕心。如果新生兒有食欲不佳，活動力減退，甚至發燒的狀況，一定要儘速送至醫療院所，做進一步的檢查與治療。

2. 春季殺手：腦膜炎雙球菌

馬偕醫院的急診室來了一位十七歲的男生，除了發燒、頭痛、想吐外，還喊著腳痛。他的媽媽描述，兒子平常住校，今天早上感覺發燒不適，還硬撐著上課沒有請假。到了中午，老師發現情況不對勁，便通知家長帶孩子就醫。我看病人的精神已經很虛弱，整個人軟趴趴的，問他哪裡不舒服，哭哭啼啼的，一點也不像青春期的男生。

因為孩子抱怨腳痛，我捲起他的褲管檢查，赫然發現他的腿上散布著數個紫色的斑點，我的眼皮重重跳了一下。

「進加護病房，立刻，馬上！」我低聲囑咐身旁的護士。

當天晚上，孩子即陷入昏迷。幸好經過一個星期的治療，鬼門關走了一遭之後，他才幸運地康復了。

這樣恐怖的故事在台灣雖不常見，但只要發生一次，就足以讓一個家庭痛苦萬分。它叫做「流行性腦脊髓膜炎」，若未即時治療，死亡率可高達五〇％；而在正確的治療下，仍

有一〇%的死亡率。它的致病源是「腦膜炎雙球菌」，一種令人聞之色變的細菌。命名為「雙球菌」，是因為在顯微鏡下，這隻細菌總是兩兩成對，長得像寶寶的兩片屁股黏在一起。

腦膜炎雙球菌的傳播，通常是在擁擠的生活環境，比如說學校宿舍或者是軍營。曾經有個阿兵哥因為不舒服跟長官告假，因為沒有什麼咳嗽流鼻涕的症狀，長官以為是草莓兵在耍賴，訓斥一頓之後強迫病人出操，當天晚上嘔吐之後，就昏迷了。

像台灣這樣醫療技術進步的國家，流行性腦脊髓膜炎的發生率其實非常低，每十萬人才不到一個人發病。但在非洲地區，有個著名的「腦脊髓膜炎流行帶」，包含撒哈拉沙漠以南的幾個國家，約有三億人口暴露在這恐怖的病原體威脅之中，每年動輒數千人死於此疾病。這狀似兩片屁股的細菌總是在乾爽的一月到二月開始流行，進入雨季就停止。

奇怪的是，在你我身邊有五%的人，鼻子、咽喉裡就帶著這隻恐怖的細菌，卻能兩造共處相安無事，不會生病。甚至在恐怖的腦脊髓膜炎流行帶，帶菌者比率可能高達七〇%，卻也都不會生病，表示多數人對這隻細菌有一定的抵抗力，並沒有想像中那麼脆弱。然而，一旦強壯的帶菌者透過飛沫將細菌傳播給抵抗力較弱的人，被感染的人（尤其

是小孩和青年）就慘兮兮了。

面對這麼恐怖的細菌，疫苗的研發自然是刻不容緩。從一九七〇年代起，高危險族群就開始接種腦膜炎雙球菌的疫苗，比如說大學宿舍裡的新生，以及軍營裡的新兵。自從有了這種四價的腦膜炎雙球菌疫苗之後，軍營裡的發病率下降了九四％，效果非常驚人。照理說，有了這支疫苗，地球人似乎可以高枕無憂了。

然而，眼尖的讀者應該會發現這支疫苗有一個盲點：「四價」。所謂四價，表示這種疫苗只能防範「四種型別」的腦膜炎雙球菌感染。世界上流行的腦膜炎雙球菌型別大致上分為A型、B型、C型、W135型、X型以及Y型，而四價的腦膜炎雙球菌疫苗只能防範A、C、W135、Y這四型，漏掉了重要的B型。

壞消息是，台灣七二％的病例，就是疫苗沒有保護到的B型。不只是台灣，歐洲有八〇％的病例也是B型，北美也有將近一半的病例屬於B型。這時您的心中一定在吶喊：科學家，你們在幹麼？還不快點研發B型腦膜炎雙球菌的疫苗，救救人類吧！

他們當然想，可是踢到了鐵板。

早在疫苗發展之初，科學家就已經把B型的腦膜炎雙球菌表面抗原放入疫苗之中，打在人體上。然而說也奇怪，這種B型的疫苗跟別的疫苗不同，不管打進去多少劑量，接種者一點抗體反應也沒有，根本無法產生保護的效果。

「怎麼會這樣呢？」這個問題讓疫苗的研發者傷透了腦筋。經過一段長時間的摸索後，終於有人發現癥結所在。原來B型的腦膜炎雙球菌的表面抗原，和我們人類腦神經細胞的某個結構長得幾乎一模一樣，導致人體的免疫系統以為那是「自己人」。

要知道上帝創造的免疫系統是很聰明的，人體的免疫部隊不會攻打自己人，只會攻擊不認識的外來敵人。所以這種疫苗一打進身體，我們的白血球還以為他是自己的腦神經細胞，不但不會攻擊它，反而還列隊歡迎呢！這就是B型疫苗失敗的主要原因。

為了解決這個問題，全世界的科學家又花了四十年，一直到最近才找到方法避開免疫系統的誤判。近幾年來，已在做B型腦膜炎雙球菌疫苗的臨床試驗，效果看起來還不錯。希望在不久的將來，B型疫苗能夠順利上市，保護身處危險族群的孩子不受感染。

還是提醒一下，如果您剛好要去撒哈拉沙漠以南「腦脊髓膜炎流行帶」的非洲國家旅

非洲的「腦脊髓膜炎流行帶」（資料來源：世界衛生組織，2009年）

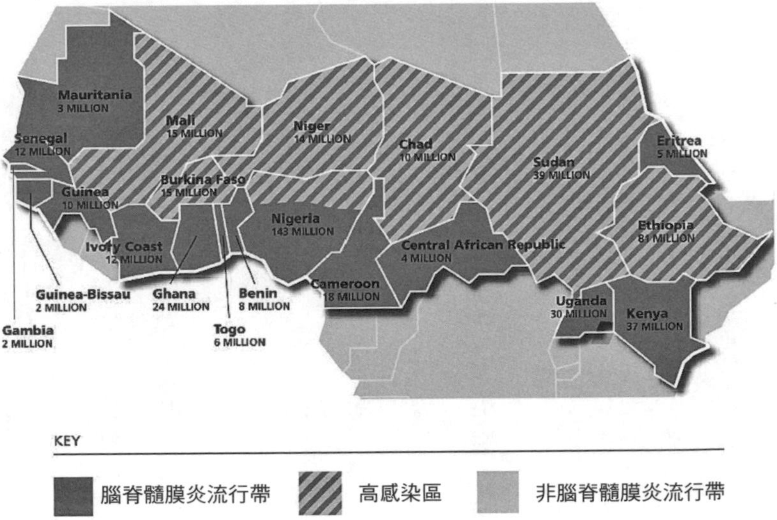

遊，目前的四價疫苗就夠用了，先接種後再出發吧！

小提醒

流行性腦脊髓膜炎的常見症狀有：發燒、劇烈頭痛、噁心、嘔吐、頸部僵直、出血性皮疹、粉紅斑及精神學症狀，如精神錯亂（譫妄）、昏迷、抽搐等。主要是因直接接觸感染者的喉嚨和鼻腔分泌物，或是飛沫而被感染。（資料來源：行政院衛生署疾病管制局）

3. 登革熱：骨痛熱症

在中國內地，登革熱叫做「骨痛熱症」，很類似的說法在台灣，叫做「斷骨熱」。好像得到登革熱，一定就會全身骨頭痛得哀哀叫，這個觀念雖然不錯，但不適用於十五歲以下的兒童。

根據行政院衛生署疾病管制局的統計，每年自七、八月起，蚊子繁殖較多，是登革熱流行季的開始，患者大部分發生在南台灣。各位如果仔細研究近年來的病例，會發現台灣小兒登革熱的病例不多，大部分都是成人的患者；可是鄰近的東南亞國家如泰國和菲律賓，五到九歲兒童登革出血熱之發生率遠高於成人，致死率也高。難道說台灣的小孩抵抗力較佳，比較不容易得到登革熱嗎？

當然不是啦！其實在台灣，成人得到登革熱的機率和兒童應該是一樣的，不分年紀大小，只要暴露在有病媒蚊的流行區，都可能會被病媒蚊叮咬而感染。但是兒童登革熱的臨床表徵非常輕微，一歲以下的小孩大多數只有發燒，或者加上一些咽喉發紅，或輕微的流

鼻水、咳嗽等等，好像小感冒一般，不容易分辨。不只如此，小兒登革熱的病程也比成人來的短，大多在三到五天內即恢復正常，因此對於兒科醫師而言，這些症狀跟一般病毒感染幾乎無法分辨。所以「骨痛熱症」或者「斷骨熱」這種俗稱，恐怕不適用於小兒登革熱。既然診斷不出來，通報的病例就很少，才會造成台灣兒童不太會得到登革熱的假象。

然而小孩如果得到第二次，甚至第三次的登革熱時，若是發生嚴重的「登革出血熱」，治療就沒那麼簡單了。在東南亞地區登革熱非常盛行，因此小孩得到兩次以上的登革熱並不稀奇，「登革出血熱」的病人才會這麼多。

「登革出血熱」是登革熱的嚴重型，必須得過兩次以上的登革熱，在第二次感染時才有可能發生。「登革熱」大部分不會死亡，而「登革出血熱」病童則會血小板下降、皮膚出血、腸胃出血、血壓急驟，若不治療，死亡率可高達五〇%，即便得到治療，死亡率也可能達到五%之譜。所以啊，一輩子得一次登革熱就夠了，千萬不要得到第二次！

台灣早年曾在一九一五年、一九三一年、一九四二年發生過三次的全島性登革熱流行；一九四二年的流行甚至約有六分之五人口（五百萬）感染。之後登革熱沉寂了四十多

年，於一九八七年、一九八八年在大高雄地區再度爆發流行。最近幾年疫情皆不平靜，尤其以二〇〇二年有五千三百三十六人確定得病，二十一人死亡最為慘烈。雖然大部分流行區都在高雄與台南區，然而全台灣各地都偶有零星的病例發生。值得注意的是，登革熱境外移入數目逐年攀升，可見東南亞登革熱疫情日趨嚴重，鄰近國家有難，台灣的相對危險性也隨之提高。

這些數據看起來好像很恐怖，所以有一次我們出了一份考題給醫護人員，其中一題是：「台灣是登革熱的疫區嗎？」幾乎所有人都回答「是」，結果統統領了一個叉。大家都很驚訝，每年都在宣導登革熱的防治，為什麼不算是疫區呢？

原來是冬天救了我們。

南台灣雖然炎熱，但畢竟還是在北回歸線附近，勉強可以分辨春夏秋冬。冬天的時候，最低溫有時候甚至可以下探到十幾度，對蚊子來說，真不是什麼好消息。這就是為什麼每一年的冬天，不管當年登革熱的疫情是多麼慘烈，還是會自己消失不見。

到了夏天，蚊蟲開始滋生，然而此時蚊子身體裡暫時還是乾淨的，沒有登革熱的病

毒，一直到大魔王出現的那一天。

卡通裡那些小嘍囉，平常只是一群烏合之眾，偶爾搗蛋一下，並沒有什麼殺傷力。但只要大魔王出現，賦予他們某種能力之後，就搖身一變成為大壞蛋，造成更多的破壞。台灣登革熱疫情的發生跟這樣的劇情很像：蚊子從夏天開始四處遊盪亂叮咬，本來只是讓大家抓抓癢而已，直到某一隻蚊子叮咬到了大魔王——當年第一位境外移入的登革熱患者。

「境外移入」，顧名思義，就是從國境之外跑進來的，比如說從越南、印尼回來的台商或者雇工。他們在東南亞疫區被傳染之後，坐飛機回到台灣，身上還帶著登革熱的病毒。當本土的蚊子叮咬到他們，從這些人身上得到「加持」，瞬間就變成了super bug，開始一傳十，十傳百地散佈開來。疾病會一直擴散到冬天來臨，蚊子都冷死了，這樣的疫情才會嘎然而止，蟄伏等待明年大魔王的到來。

所以台灣不算是登革熱疫區，只是每年都會有人帶病毒來台灣過夏天。

防治登革熱的政令宣導相信大家早已耳熟能詳，就是要做好防蚊措施，避免蚊蟲叮咬。我們都知道登革熱是由埃及斑蚊與白線斑蚊傳遞的；除了自掃門前「水」以外，還要

很難婆地主動檢視社區周圍環境，有無孳生源。

室內常見孳生源包括：萬年青、黃金葛、鐵樹等植物之含水花器；冰箱底部、飲水機、烘碗機、飲茶之水盤；浴室儲水容器或馬桶水箱；任何貯水的水桶、陶甕、水泥槽等大型容器；地下室或停車場積水，消防儲水池等等。

戶外常見孳生源包括：曬衣架、水泥樁上及其他可積水的水管；竹籬笆的竹節頂端、樹洞、竹洞、大型樹葉的積水處；擋雨之帆布架；屋簷排水槽；冷氣機的滴水桶；不流動之排水溝；家禽、家畜與鳥類飲用水槽；廢輪胎等任何閒置在戶外任何有可能積水的垃圾。

任何盛水容器換水時應將容器內部用力刷洗，以去除蟲卵。大家一定要到家裡四周多看看，若是左鄰右舍大家不互相提醒，蚊蟲就永遠沒有消滅的一天。如果有空屋無人居住，或鄰舍有積水容器屢勸不肯清除，請通知當地衛生局強制執行。

暑假到了要帶孩子去東南亞國家旅遊，最好準備淺色長袖衣褲，身體裸露部位塗抹防蚊藥劑，如果旅館不是很乾淨，睡覺時最好掛蚊帳。很多人想知道哪一種防蚊藥劑比較有效，根據研究，含DEET（待乙妥）的防蚊液其實最好用；可惜因為DEET高濃度下

可能有毒性，所以被輿論渲染之下，大家反而不敢用。我個人認為，除了兩個月以下的嬰兒不適用之外，低濃度的DEET安全性應該無慮，至少比那些植物萃取物有效多了，可以噴在衣服上，或者利用含DEET的貼片，都是一些折衷的使用方法喔！

4. 從ＥＢ病毒談青少年性病

看了標題的媽媽，別害怕！ＥＢ病毒並不是性病。這本書在介紹這麼多細菌、病毒之後，為了怕讀者頭昏腦脹，本來打算放棄介紹ＥＢ病毒的。但是轉念一想，從ＥＢ病毒可以討論到一些更深入的話題，也就是日益增加的青少年性病。

大家一定還是不解為什麼ＥＢ病毒可以與性病扯上關係，那我告訴大家，英文的ＥＢ病毒感染戲稱為 Kissing disease（親吻症候群），應該可以得到一些線索吧！

沒錯，ＥＢ病毒大部分是藉由唾液交換所傳染的。曾經有一位學者調查大一新生，蒐集了一群從來沒有得過ＥＢ病毒的學生進行研究，經過三年燦爛的大學生活之後，有一半的人在這期間得到了ＥＢ病毒，其中四分之一的人有症狀，其他四分之三則不知道自己得病了。這些人怎麼被傳染的呢？想當然爾，是交男女朋友接吻來的。

但其實在上大學之前，很大一部分的孩子都已經得過ＥＢ病毒了。除了父母給予「愛

的親親」可能把病毒傳播給孩子之外，過去那個「阿嬤幫忙咀嚼食物餵孫」的傳統，也大大增加了兒童患病的機率。

ＥＢ病毒感染之後如果有症狀，叫做「感染性單核球症」，病人會發高燒長達一週以上，疲倦、鼻塞、眼皮浮腫、頸部淋巴腺腫和扁桃腺化膿等等症狀。之所以叫「單核球症」，是因為抽血可以發現白血球中單核球會升高。因為沒有抗病毒的藥物，經過休養之後，大部分疾病還是必須靠自己的抵抗力自然痊癒。在很少數的個案，會引發恐怖的嗜血症候群，甚至造成死亡；因為實在太恐怖了，所以我不打算多做介紹，總之發生率非常非常低就是了。

回到剛才大學生的研究，這篇文章的研究者問了學生一個很奇怪的問題，「請問這三年當中您有沒有性行為？」這個問題真的很另類，因為一般ＥＢ病毒還是存在唾液而不是泌尿生殖道，不會與性行為聯想在一起。沒想到答案更令人驚訝，在這些學生當中，曾經有性行為的人，罹病率竟然高達七成五，比平均值高出許多。究竟是在翻雲覆雨之中那「深層的吻」增加感染率，還是這些有性行為的學生，通常是多重性伴侶的人，本身就是傳播

病毒的媒介，目前不得而知。

雖然大部分的青少年都不知道「親吻」可以讓人生病，不過更糟糕的是，在美國很多青少年甚至不知道「性行為」可以讓人生病，這份無知已經在美國青少年中造成嚴重的「性病危機」。

根據美國疾病管制局的統計，近年來有高達四分之一的女學生，患有某種性行為傳染的疾病。我的天呀，「四分之一」！整體來看，二十五歲以下的青少年，每年得到九百一十萬次的性病，其中有八千三百人得到的是愛滋病。其他的性病包括：淋病、梅毒、菜花（或子宮頸癌病毒）、披衣菌、疱疹病毒、陰蝨等等，族繁不及備載。

年輕的女性是這場性病危機最大的受害者，雖然她們的身材外觀前凸後翹，看似已經成年，然而身體裡子宮頸的粘膜卻尚未成熟。這樣未成熟的子宮頸造成病毒很容易就侵犯進入，讓罹病率更高，全國幾乎一半以上的性病，都是在這段時期得到的，可見事態的嚴重性。

因為數字實在太龐大、太驚人，教育當局與疾病管制局開始合作，進入校園進行性教

育的工作。與各位想像的可能不太一樣，疾病管制局性教育的守則第一條並不是 safe sex（安全的性），而是 abstinence（守貞），跟學生說，你們最好什麼都不要做。

想也知道，強調守貞的性教育，一定會被性自由主義者批評得體無完膚，但從醫學的角度來說，the only safe sex is no sex（唯一確保安全的性，就是守貞）。每個學生都知道這世界上有保險套這件事，每個學生也都知道去哪裡買，但是有一半的人，就是不使用。更重要的是，就算使用保險套，也只能預防一部分的性病，對於子宮頸癌病毒、疱疹病毒或是陰蝨等等，也沒有保護的作用。

有美國的前車之鑑，台灣的衛生單位也已經開始重視這個問題。希望台灣的疾病管制局也能夠像美國一樣，將正確的性教育，包括性傳染病，以及守貞的觀念建立在官網上，避免台灣年輕人步入同樣的後塵。

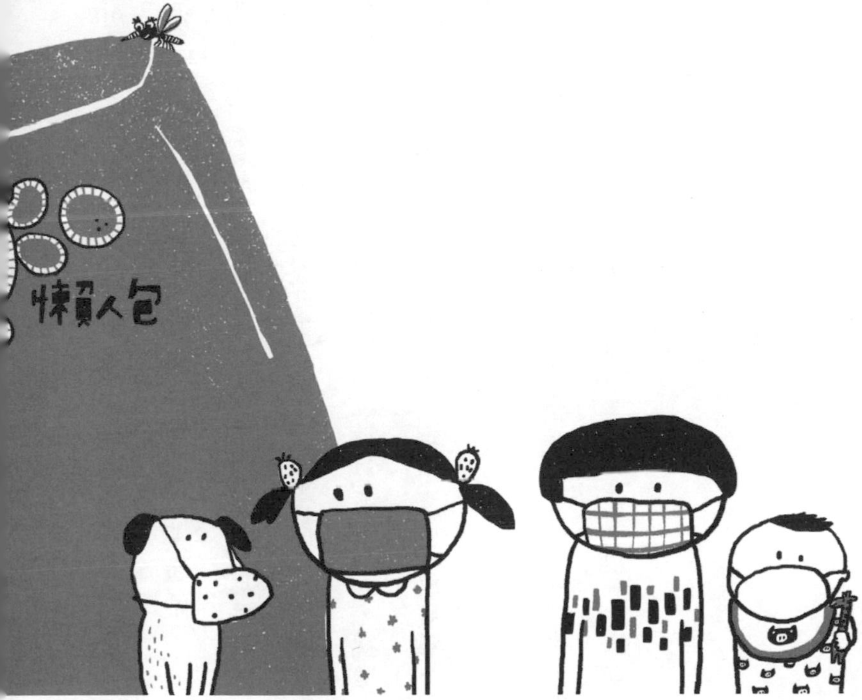
懶人包

第7章

你也可以成為流感專家——流感病毒懶人包

1. 常見流感FAQ

以下是二〇〇九年H1N1新流感流行之初，我在網路上寫的衛教文；當時我將門診常見的十個問題寫成FAQ，得到非常熱烈的迴響。事實上這篇文章也適用於任何的流感病毒感染，因此我稍作修改，在這裡與各位分享。

流感的傳染途徑是什麼？

流感的傳染途徑主要分為兩類：飛沫傳染與接觸傳染。

❶ 飛沫傳染

一般飛沫傳染的定義，是飛沫由口中噴出後，飄行約一公尺左右就落地的飛沫。因為飄行的距離很短，所以不會是房間裡一人得到流感，全部人都中標這麼恐怖。但是如果是在密閉的捷運車廂裡、KTV裡，兩個人相隔一公尺之內，這些飛沫就有可能會傳染給下一個人。

飛沫的量由多到少如下：打噴嚏＞＞咳嗽＝唱歌＝大聲演講五分鐘＞輕聲說話。

❷ 接觸傳染

雖然飛沫傳染力只在前方一公尺處，但是我們的手卻是強力的病毒散播器。當我們打噴嚏或咳嗽的時候，就算用衛生紙摀住，這些病毒顆粒依然會存留在手上好一陣子。這時候如果我們用手去摸其他物品，病毒就有可能會散播到被觸摸的物品上，比如說：門把、水龍頭、電梯按鈕、握手。當下一個人去觸摸這些物品後，接著又用手摸鼻子，揉眼睛，病毒就會入侵造成感染。

由此可知，有些家長教導孩子咳嗽或打噴嚏時要用手摀住口鼻，顯然是不正確的。用手去盛接這些病毒口水，除非馬上消毒乾淨，否則很快就藉由接觸傳染給其他人。除了使用手帕、衛生紙掩住口鼻咳嗽之外，專家們還建議，如果手邊沒有手帕，可以使用「吸血鬼姿勢」，也就是將上臂的內側摀住口鼻咳嗽，是另一種正確的做法。因為一般人不太會用上臂內側去碰觸其他人，或者公共場所的東西，所以病毒沾染到了這個部位也不太容易傳播出去。

病毒在無生物上可存活的時間大致如下：光滑表面如門把水龍頭，可達一天以上。不光滑的衛生紙或毛巾，以及人類的手，約存活十五分鐘到一小時。

流感的症狀怎麼跟其他感冒分辨？

事實上是很難分辨。根據流感的案例統計，約有九成的人會有發燒、咳嗽的症狀，喉嚨痛佔六成，腸胃道症狀則少於四分之一（包括吐或腹瀉），其中大約五%到一〇%的病人需住院治療。如果要跟其他病毒分別，一般流行性感冒病毒造成的感冒，會比普通鼻病毒或RSV病毒引起的感冒會嚴重許多，病人看起來比較虛弱，可以算是流感的特色之一。

發燒可不可以當做流感的指標？這個問題我也常常被問到。雖然大部分的流感病人都會發燒，但其他病毒感染一樣可能發燒，因此並不是百分百準確的指標。也提醒大家，如果自己得到流感，就算沒有發燒也不代表沒有感染力，只要有咳嗽、鼻涕分泌物，都還是會傳染給別人，所以請做好自主管理，在家休養五到七天。

我到醫院檢查就可以知道是不是得到流感病毒嗎？

有發燒與咳嗽的病人來到醫院，醫師若懷疑得到流感病毒，只要用棉棒在喉嚨或鼻咽抹一下，就可以做流感的快篩。流感快篩的準確度與病毒量成正比，如果採檢的時間是在發高燒的那幾天，病毒量應該是比較多；另外抹的檢體越多，挖喉嚨越用力，陽性率也比較高。但是對於小孩而言，用力挖的結果就是瘋狂大哭，甚至還會嘔吐，真殘忍。

快速檢測並不能告訴你是不是H1N1新流感，或是禽流感，只能讓你知道得的是A型或B型流感。要進一步了解是不是H1N1新流感或禽流感，必須靠分子生物學的方法才能分辨，由疾病管制局實驗室統一檢驗，病情嚴重時醫生才會通報。

就算是使用最好的快篩試劑，也無法百分之百準確，因此除了當年新流感盛行時快篩是免費之外，目前大部分快篩都還是自費的，政府不打算幫忙出錢。

為什麼兒童生病的人比較多？

不管是哪一年的流感季節，兒童總是感染率最高的族群；學齡前兒童佔感染族群的二

四％到三〇％左右，在學兒童則佔三〇％到三五％，兩個年齡層家起來高達五成以上。每次流行的過程都是先由在學的兒童感染人數先上升，請假學童的比例升高；經過一、兩週之後，成人感染人數開始上升，最後嬰兒與老人因流感相關疾病的住院率才開始上升。

除了兒童之外，軍營、因風災而群聚的災民、擁擠的辦公室雇員，這些人也都是大流行前期率先感染的族群。這些人共同的特徵就是：頻繁密集地與人接觸，猶如一個病毒的大培養皿。病毒在學生或這些社會行為頻繁的人口大量繁殖以後，才能進一步感染其他不常與人群接觸的族群，也因此疫苗應該優先接種在這個族群的人身上。

聽說年輕人得流感比較容易併發重症死亡，是真的嗎？

事實上本世紀四次大流行裡，只有第一次在一九一八年大流感是年輕人死亡人數爆增，其他三次都還是以老人的死亡病例最多。一九一八年的醫療水準與現在相差甚遠，而且當時正值第一次世界大戰，軍營或人員密集的環境很多，可能是造成年輕人的高死亡率原因。

有趣的是，二〇〇九年這一波大流行，年紀大於六十五歲的老人家，反而有部分的人身體裡有保護性的抗體存在，因此死亡率並不高。這可能是在他們小的時候，曾經接觸過與這次流感結構類似的一九一八年流感，抗體在他們身上一直存留著記憶。

流感病人是因為什麼原因而導致重症甚至死亡？

❶本身疾病惡化（如：氣喘、慢性肺病、心臟病……）

❷病毒本身造成的肺炎

❸重要器官的感染（如：心肌炎、腦炎）

❹繼發性細菌感染（如：繼發細菌性肺炎或敗血症）

上述四種原因以「繼發性細菌感染」最常見，也最重要。流感病毒感染之後，常常與肺炎鏈球菌或是金黃色葡萄球菌都有某種相輔相成的關係，會讓病人更容易被細菌攻擊，感染肺炎，進而重症或死亡！

為什麼要吃「克流感」藥物？會不會吃了就有抗藥性？

吃克流感（Tamiflu）對病人的好處如何？目前研究證實的只有一個好處：發病四十八小時內服用，可以縮短病程。至於克流感能不能減少併發重症，以及減少死亡率，目前仍沒有定論。然而以台灣日本的經驗而言，全國性地使用克流感，的確讓我們兩個國家在流感的死亡率上遠低於歐美國家，這也許代表「克流感」這個藥，的確有它預防併發症的角色存在。

如果有吃克流感藥物，第二天，三％的人就沒有傳染力，第三天，三七．五％的人沒有傳染力，第五天，七二．五％，第七天，九〇％。

很多人擔心吃了克流感後，對病毒會有抗藥性。的確在藥物的壓力下，病毒有可能突變產生抗藥性，但一直到今天，H1N1新流感的抗藥性病毒案例仍屬少數。抗藥性是全國，甚至全世界的問題，而不會是個人的問題，因此這方面應由感染科醫師與公共衛生專家去傷腦筋，一般民眾不需要想太多，只需將五天的療程完整服用完畢就可以了。

要怎麼預防得到新流感？

剛剛已經說過新流感的傳染途徑有飛沫傳染與接觸傳染兩種。因此，預防新流感有兩個重要的步驟：戴口罩、勤洗手。

戴口罩不需要二十四小時都戴著，這樣一天下來就算沒有得到流感，應該也會得到溼疹。只有在人群擁擠，距離你一公尺左右，常常會有人晃來晃去的公共場所，才需要戴口罩。外科口罩有三層式結構，可以阻擋近九〇％的飛沫，與N95相去並不會太遠，所以戴外科口罩就可以了。

很多人覺得在醫院裡容易感冒，沒錯，但是那不是因為空氣中飄滿著病毒，而是因為你摸的批價櫃檯、診間門把、電梯按鈕，上面的病毒被你摸下來，自己再放到鼻孔或嘴巴裡的，所以勤洗手才是預防流感的王道。人在不知不覺下，摸鼻子、揉眼睛這類的動作實在太多了，不如隨身帶一瓶乾洗手液，接觸別的物品之後就洗手一下，這樣才能減少手上的病毒帶給自己的機會。

為什麼孕婦要打流感疫苗？

在所有危險族群當中，相對於老人與嬰兒，孕婦是唯一有行動能力，會四處趴趴走、搭捷運、坐公車的人。偏偏孕婦得到流感之後的重症率較高，死亡率也較高，所以接種疫苗絕對是刻不容緩的。目前全世界的研究都顯示，孕婦接種流感疫苗安全無慮，因此懷孕的媽媽可以放心接種。

如果還來不及打疫苗，就已經得過流感，是否當年就不用打流感疫苗了？

得到了流感之後，身體會產生抗體，原則上不會再被同一型別的流感病毒感染。但是每一年流行的流感病毒常常不只一種，可能多達兩種甚至三種，如果只得過一次流感，恐怕無法保護自己免於另一隻病毒的攻擊，所以應該還是要接種流感疫苗。

2. 一分鐘搞懂B型流感

二〇一一到一二年的流感季，剛好流行的是B型流感。很遺憾的，當年接種的流感疫苗並沒有保護到這隻病毒。因此在B型流感盛行之際，我寫了這篇文章，讓讀者了解B型流感的來龍去脈。

人類流感病毒分為A型H1、A型H3，還有B型。

B型之中又分為Victoria（維多利亞）型和Yamagata（山）型兩大類。事實上，B流感還有第三種，就是混合Victoria和Yamagata的雜種。二〇一一到一二年流行的是Yamagata型，然而很不巧的，二〇一一年的流感疫苗株，是Victoria型，所以就算打過疫苗，也無法保護接種者不會得到B型流感。

猜錯病毒株，是很嚴重的事情嗎？

根據過去的統計，B型流感的疫苗株，符合當年台灣流行的病毒株，也就是猜對的百分比約為五〇％。所以沒猜中也不是一件罕見的事情，大概每兩年就會有一年猜錯。不過換個角度想，世界衛生組織（WHO）的專家可以猜中五〇％，就像買一張樂透有五〇％的中獎率，也算了不起了，只是今年剛好是槓龜的那一年。

要怎麼區分B型流感和一般感冒？

甚至有人更進一步詢問，要怎麼區分A型流感與B型流感呢？以醫生的角度而言，這兩個問題都非常困難回答。流感季流行的最高峰時，約有四〇％的感冒病患都是得到流感病毒，所以我隨便亂猜，兩個也會猜中一個。B型流感幾乎都會發燒，九〇％會咳嗽，六〇％會流鼻涕，還有二〇％有腸胃症狀。至於A型流感與B型流感症狀幾乎類似，唯一有所不同的是B型流感比較容易腹瀉和肌肉痠痛。

得到B流感並不是世界末日。

雖然得到B流感之後併發重症，常發生在五歲以下小孩與六十五歲以上老人，但是小孩的死亡率極低，老人反而比較容易有死亡個案。而且如果有打過肺炎鏈球菌疫苗的話，併發重症的機率就更低了。

為什麼在流感流行季，感冒的病人不需要先快篩，就可以免費得到克流感藥物呢？

流感病毒雖然厲害，但它最大的弱點就是有抗病毒藥物——克流感。使用克流感治療之前，是不是要快篩，這可能必須從醫療經濟學的角度去討論。

快篩的試劑也要錢，克流感藥物也要錢，以整體經濟的考量之下，如果盛行率高達四〇%，省去快篩的步驟，直接讓醫生開克流感，就可以直接幫助其中四〇%的人。舉例來說，有十個人因為感冒來看病，其中四人是流感患者，一顆克流感如果是十元，閉著眼睛十個病人都吃藥，那麼只要花一百元，就可以把那四個病人治好。但如果十個人都先做快篩，假設快篩也是十元，先花了一百元在快篩，再花了四十元治好這四人，總共要花一百

四十元，反而花更多錢。更何況快篩不見得準確，可能花了一百三十元，還漏掉了其中一位病人讓他病情惡化，反而得不償失。不過這樣的省錢做法只適用於高流行季，等到流感季過了，就不會也不應該再這樣「大放送」了。

如果我剛好不是流感病毒感染，但吃了克流感，會不會有副作用？

答案是有的。某些人吃了克流感會有腸胃不適，腹痛腹瀉，如果您發生這樣的副作用，可以跟醫生討論是否停止使用。但有時候很難分辨是不是藥物的問題，因為B型流感也會有腹痛的症狀。

至於抗藥性的問題，目前A型與B型流感的抗藥性都幾乎是零，所以暫時不用擔心。病毒的抗藥性形成，與細菌的抗藥性是完全不同的機轉，比如說二〇〇九年台灣人吃了那麼多克流感，要是細菌早就產生抗藥性了，但是流感病毒卻沒有。這其中的來龍去脈，病毒要如何才會產生抗藥性，還有待科學家尋找。

相較於治療A型流感，克流感治療B型流感的反應比較遲鈍，所以有時候吃了兩三天

過後，症狀才慢慢的緩解。A型流感對藥物反應就比較快，如果早點投藥，兩天之後就一尾活龍了。

什麼時候要注意併發症的產生？

簡單來說，如果孩子發燒比較緩和之後，又再度高燒，這就是個警訊。通常第二次高燒就不像一般常見的病程，可能是已經有細菌入侵，入侵至肺炎會喘，中耳炎會痛等等。如果孩子還不會說話，精神不佳則是最需要小心的症狀。有上述情形的話，就快點將孩子帶到醫院診所吧！

3. 深度聚焦：兒童與流感大有關係（專業版）！

流行性感冒病毒，這個令全世界頭痛不已的病原體，藉由二〇〇九年的H1N1新流感疫情，再度引起眾人的關注。

每一年在世界各地都會有流感的地區性流行（epidemics）；而它的爆發，一般來說必須取決於三個因素：第一、病毒的毒性強弱；第二、某族群是否有過去的免疫抗體足以保護不受感染；第三、暴露在此病毒的頻率高低。今天要討論的主題是兒童。兒童缺少過去的流感抗體保護，且暴露在病毒的頻率很高，大部分時間都待在學校裡，完全符合了上述爆發因素最重要的兩項。因此兒童在流感病毒大流行中扮演關鍵角色，並不意外。

根據統計，在流感流行的季節裡，四〇％的學齡前兒童，以及三〇％的在學兒童都會被感染。雖然大部分的孩子都只是表現一般的感冒症狀，然而有些兒童會因此演變成肺炎、中耳炎、熱性痙攣、肌肉發炎，甚至影響到中樞神經系統。而且，流感在兒童扮演的角色還不只是造成兒童本身的疾病而已，他們是流感病毒傳播到家庭、社區，以及整個地

方性流行的重要關鍵。間接所造成的影響包括：增加看病次數、抗生素使用的增加、因為曠課而影響學習，以及將病毒傳入社區後的間接傷害。這些間接傷害包括：老年人因流感而增加的併發症、家人請假所造成的經濟活動減少，以及在老人與免疫不全病人中所造成的死亡率上升。

兒童流感的流行病學

根據過去流感全球大流行（pandemic）的經驗，所有感染者中有高達四〇％是兒童，尤其是五歲以下的孩子。在社經地位比較低的家庭裡（通常是大家庭），這些流感的孩子把病毒帶回家，進而感染家裡面的成員，迅速擴大了流感感染的人數，甚至增加重病或死亡的人數。根據統計，在地區性流行的巔峰期，二〇％的工作人口會因為自己或家人生病（尤其是小孩）而請假，嚴重影響社會運作。

在每次流感地區性流行裡，不論當年是流行A型流感或B型流感，兒童總是感染率最高的族群；學齡前兒童佔感染族群的二四％到三〇％左右，在學兒童則佔了三〇％到三

五％，兩個年齡層加起來高達五成以上。每次流行的過程都是先由在學的兒童感染人數先上升，請假學童的比例升高；經過一兩週之後，成人感染人數開始上升，最後嬰兒與老人因流感相關疾病的住院率才開始上升。從這個時間的進展我們可以明顯看出，在學兒童是將病毒感染人數放大的重要關鍵族群。除此之外，兒童具有傳染力與帶病毒的時間比成人還要長，甚至可達十天以上，更進一步增加了他們的感染力。

究竟一個流感病毒帶給兒童多少額外的醫療支出呢？答案是大約每一百個兒童因為流感病毒平均增加七到十二次的門診，以及五到七次的抗生素處方。至於住院的部分，平均每五個流感的兒童，就有一個住院；若是本身有潛在的其他危險因子，如氣喘或心臟病等等，則有三分之二的病童需要住院。

無論是門診或是住院率，都是五歲以下的兒童機率最高，隨年齡愈高成反比下降。因流感住院率最高的兩個族群為：一歲以下的嬰兒，以及六十五歲以上的老人。雖然大部分兒童住院時間都不長（低於二天）仍有四％到十一％的病童需要住進加護病房，三％需要插管使用呼吸器。這些住院的小病人有些是因為流感病毒本身所造成的疾病，有些是因為

有繼發性的細菌感染，還有一些只是為了安撫焦慮的家屬。總括來說，在流感盛行的季節，來醫院就診的兒童有一〇%到三五%，是為了治療流感病毒所引起的疾病。

雖然就診率與住院率很高，但是兒童流感的死亡率並不高。雖然本身都有一些潛在疾病的兒童，因流感的致死率較高，但整體來說，大部分死亡的病例，還是在原本健康的兒童。因流感而死亡大部分是源自繼發性細菌感染，尤其是金黃色葡萄球菌。近年來因為社區抗藥性金黃色葡萄球菌盛行率逐年上升，流感併發抗藥性金黃色葡萄球菌的感染將成為一個難題。

兒童流感的症狀

兒童流感的症狀與一般感冒十分類似，也因此與其他病毒所引起的感染很難區分；發病的年紀愈小，愈不容易診斷。這些症狀包括發燒、咳嗽、流鼻涕、鼻塞等等。嬰兒得到流感病毒之後，發燒的溫度常常很高，有時候表現會像敗血症一樣嚴重。統計上兒童流感最常見的症狀是發燒（高達九〇%），一般感冒症狀佔五〇%到七〇%，腸胃道症狀如嘔吐

或腹瀉估約二五%。症狀一般持續三到七天，但咳嗽與虛弱症狀可能會延遲到兩週以上。一般來說，B型流感的症狀比A型流感輕微，B型流感在兒童比較會有肌肉痠痛與肌肉炎，很少數的病例也是可能造成併發症，甚至死亡。

除了一般流感的症狀之外，兒童流感也會有一些特別的表現。舉例來說，流感引發熱性痙攣就是兒童常見住院的原因，佔兒童流感住院的六%到二〇%。其他的表現包括哮吼（croup）、細支氣管炎、病毒性肺炎、中樞神經感染、心肌炎、肌肉炎造成腎衰竭等等。哮吼與病毒性肺炎是兩個最常見流感造成的下呼吸道疾病，這兩者佔了兒童流感的十六%到五二%。雖然副流感病毒是造成哮吼的主要病毒，但不要輕忽流感病毒同樣會造成甚至更嚴重的哮吼。另外，嬰兒流感是最難診斷的一個年齡層，常常以不明熱，或是食欲不佳、呼吸暫停（apnea）等等症狀表現，而不是典型的咳嗽。兒童流感如果在流行期以咳嗽與發燒做診斷，五到十二歲的診斷正確率可達八三%，相對五歲以下則只有六四%的正確率。而令人汗顏的是，所有病毒培養確定診斷為流感的兒童病患當中，只有二八%的住院病人與一七%的門診病人是被正確診斷為流感病毒感染。由這些數字我們可以了解，兒童流感

的診斷遠比我們想像的困難且被低估。

流感後繼發性細菌感染是醫師最不樂見的併發症。這些併發症包括細菌性肺炎、中耳炎、細菌性氣管炎（bacterial tracheitis）等等，常常是造成重病或死亡的原因，尤其在本身有潛在性疾病的病童身上。在許多開發中國家，流感病毒是最多引起繼發性細菌感染的病毒。流感病毒會降低呼吸道黏膜的免疫功能，讓細菌趁虛而入。根據研究，回溯感染嚴重細菌性肺炎的病人，比一般人高四倍的機率有血清流感抗體陽性，表示他們曾經被流感病毒感染過。最常見造成繼發性細菌性肺炎的細菌為金黃色葡萄球菌與肺炎鏈球菌。

除了細菌性肺炎以外，中耳炎是另一個兒童流感常見的併發症。大約三分之一到四分之一的兒童流感會併發中耳炎，造成門診抗生素處方最大的漏洞。姑且不論這些抗生素使用是否正確，流感病毒在冬天影響增加了一〇％到三〇％額外的抗生素開立，一半以上的流感住院病人都會被給予抗生素，這些都是造成抗藥性細菌的根源。

中樞神經也會被流感病毒所侵犯，包括A型或B型流感。中樞神經感染有腦炎、腦病變與痙攣等等。專家對於流感病毒是否直接侵犯中樞神經尚未定論；目前的證據是在患者

的腦脊髓液裡可以PCR出病毒的序列，但是仍然未有直接的證據分離出病毒。雷氏症候群是所有流感併發症裡最嚴重的一種，但經過多年的宣導，兒童不再用阿斯匹靈退燒之後，這個肝與腦病變的併發症已經很少見了。

高危險群的孩子

有一些高危險群的孩子在得到流感之後比較容易受到嚴重的傷害甚至死亡。這些高危險潛在性疾病包括心血管疾病、氣喘、腦性麻痺、先天或慢性呼吸道疾病、癌症、免疫不全症等等。這些孩子比一般人高出四到二十一倍的住院率，其中以氣喘為最常見的危險因子。有趣的是，以就診率來看，高危險群的孩子並不會比一般的孩子有更高的就診率，這代表了這些孩子感染流感病毒的機會並沒有特別提高，但是顯然增加的是嚴重度。

院內感染方面，慢性肺疾患（chronic lung disease）的早產兒，兒癌的病人，與骨髓移植的小病人都曾被報告過爆發院內流感的感染。高危險群還包括一些非病人本身生理上的問題，如：家庭的成員過多、大家庭裡排行後面的小孩、出生體重不足的小孩、營養不良

的小孩、維生素A缺乏的小孩，以及缺乏母奶的小孩等等。統計上這些孩子得到流感後病情都相對比較嚴重。

禽流感與兒童

從二〇〇三年起，全世界開始有零星的禽流感H5N1個案出現，從亞洲、中東、歐洲，甚至到了非洲。H5N1禽流感至今已有六百多起人類的個案，六〇%的死亡率高得嚇人。這些禽流感的個案都有與禽鳥的接觸史，大部分是屬於鄉下的家庭，有飼養一些家禽家畜。

不得不令人注意的是，所有禽流感病例當中，兒童佔了一半的病例，以及三分之一的死亡個案。為什麼兒童比較容易被禽流感所感染目前仍未明朗，一個可能的原因是在這些家庭裡，兒童常常會負責照顧與飼養這些家禽，尤其是女童。這些孩子不只是餵食，還負責清理籠子、處理糞便、收集雞蛋，還不時與這些家禽玩在一塊兒，自然是首當其衝。幸好目前為止，人傳人的個案仍然相當稀少，否則這些孩子也會傳染給家裡其他的成員。

禽流感的症狀與一般的流感相似，也會發燒無力，有些會合併腹瀉，但最後許多病人會進展到多重器官的衰竭，甚至死亡。有些兒童的病例則是影響到中樞神經。至於抗流感病毒藥物是否對禽流感有效目前並不是十分清楚。

除了禽流感本身所造成的傷害以外，禽流感還會間接影響孩童的營養、教育，以及其他健康層面。怎麼說呢？因為每當禽流感爆發，許多雞鴨等家禽都會死亡，沒有死亡也可能被屠殺，經濟上造成的損失，讓這些家庭沒有額外的錢給孩子好的教育及醫療。這些家禽不只是拿來賣錢，也是這些農村兒童賴以維生的蛋白質來源。少了雞鴨蛋類，孩子本來就缺乏的營養就更顯不足了。

兒童流感與大流行期的感染控制

近百年來，一共有四次流感大流行：一九一八年的西班牙流感（H1N1）、一九五七年的亞洲流感（H2N2）、一九六八年的香港流感（H3N2），以及二〇〇九年的豬源流感（H1N1）。雖然這幾次流感的死亡率都不高（最高的是西班牙流感，約二%到

三％，其他的都低於○．二％），然而試算如果全世界五○％的兒童都受到感染，整體死亡的人數依然非常驚人！

當一個全球流感大流行已經爆發之後，就不太可能再限制它的擴散了。因此，我們的目標應該是訂在減少大流行所造成的損失，延緩疫情的高峰以維持正常社會運作，而不是試圖消滅所有的病毒。在兒童方面我們有三個措施：個人防護、公衛措施與藥物介入。

兒童在幼稚園或學校裡天天摸來摸去，其實是最多社交行為的年齡層；然而要教導他們個人衛生、咳嗽禮儀，實在是一件很不容易的事。個人防護包括洗手、正確使用衛生紙、生病在家休息，以及戴口罩等等，其中最重要的是洗手。因為兒童咳嗽的力量很弱，飛沫不容易飛很遠，所以手部沾到病毒後的接觸傳播更顯的重要。根據一篇巴基斯坦在二○○五的大型研究，在貧窮的村落裡，不需要戴口罩，只要每天規定孩子用肥皂洗手多次，就可以降低高達五○％的呼吸道疾病發病率。其他的研究也指出，只要規定學生每天多次洗手，就可以降低四三％的學生請假率。由此可知，光靠教導兒童洗手就可以達到個人衛生絕大部分的效果。

兒童公衛措施方面，最常被討論的就是停課。停課有兩種方式，一種是被動式停課（reactive school closure），就是有第一個種子病例爆發之後，全校停課直到三週沒有人發病為止；另一種則是預防性停課（preemptive closure），未雨綢繆式的停課或托兒所。但這樣的停課是否能達到「降低損失與傷害」的目標，目前仍存疑。首先這些孩子停課後，能不能乖乖的待在家裡不與其他人接觸，執行上有一定的困難。另外，這些被停課或托兒所回家的孩子，勢必要有大人照顧，反而增加了更多請假的人力，對正常社會運作影響更大。

藥物的介入包括抗病毒藥物以及疫苗。抗病毒藥物如克流感或樂瑞莎，如果對正在流行的病毒有效，的確能夠降低症狀或預防發病。但是在大流行的期間，對可能感染率高達五〇％的兒童投藥似乎有點太超過。這樣的做法不但會造成抗病毒藥物的囤積，更令人擔心的是，會造成抗藥性病毒的產生。因此，不要期待光靠抗病毒藥物來對抗全球流感大流行，尤其是在兒童。

目前流感疫苗還需要每年接種一次，而接種的年齡除了老人，還有小學四年級以下、六個月以上的孩童。很多人以為，既然老人與小孩是重症與死亡高危險的族群，疫苗打在他們身上應該就足夠了。這個想法事實上是錯誤的。老人與幼兒都是流感病毒感染鏈的最後一站，因為這些人並不會再傳染給其他人。正如前面所提及的，真正讓疫情大幅放大的，反而是發病不嚴重，到處和別人接觸的在學兒童。因此，要有效預防流感大流行，疫苗應該要注射在健康，活動旺盛的兒童，甚至成人。兒童注射流感疫苗也可以提供有效的社區保護（herd protection），因為孩子如果打了疫苗，不受流感病毒的侵害，他們就不會把病毒帶回家，進而保護家中其他沒有打疫苗的成員，包括屬高危險群的老人。

目前有兩種流感疫苗都可以使用在兒童：三價死的流感病毒疫苗（TIV）可用在六個月以上的兒童，而活性減毒疫苗（LAIV）則可以噴在兩歲以上的兒童（按：台灣目前沒有。）。兩者的保護效果都很好，但要視當年流行的病毒株與疫苗是否相同而定。然而即便是疫苗株與流行株不同，還是可能有部分的保護。多年累積起這些免疫抗體，對於未

知的大流行病毒，可能屆時也可以提供一些保護力。

兒童在這場流感戰役裡佔有關鍵的角色，唯有當兒童的流感被控制住，藉由洗手與個人衛生，以及疫苗接種率的提高，才能有效防堵流感的大流行。身為小兒感染科醫師，我們對於宣導這項觀念應是責無旁貸。

4. 預防流感必備十招

這是我在 MSN Health 網站上，看見 Dr. William Schaffner 所建議的「預防流感十招」，我覺得蠻有趣的，提供給大家在流感季時奉為圭臬使用之。

別去電影院，租個片子在家看吧！

大部分電影院都至少有二百到三百個座位，小心！流感感染的觀眾可能就在你身邊！

在飛機上，離咳嗽的人遠一點！

雖然飛機劃位非乘客可控制，然而若是登機後發現身邊有咳嗽怪客，可以跟空服員請求換到至少相隔二公尺以外的座位。如果機位全滿，那也只好鼓起勇氣，請咳嗽怪客口罩戴起來，並祈禱病毒先被別人吸走是也。

大賣場裡的推車，消毒先！

病毒顆粒可以存在推車上二到八小時，這當中很可能曾經有流感病人推過這台車。為了避免交叉感染，請出門前用塑膠袋裝好預藏的一百倍稀釋漂白水濕巾，在推車之前先自行消毒擦抹一遍。摸完推車後，尚未洗手之前，千萬不要摸自己或孩子的臉，更不可揉眼睛或挖鼻孔，把病毒帶入自己身體喔！

少上餐館！

餐廳裡的服務生、廚師，甚至店老闆都有可能本身有流感。最佳的建議：回家吃自己。

醫院診所，危機四伏！

素人沒事多喝水，少上醫院；候診的時候身邊若有人咳嗽，請離此君兩公尺以上。醫療院所應強制規定有呼吸道症狀的病人要戴口罩，並且拉大候診距離。

健身房，暗箭難防！

就算是阿諾也會得流感。前一位流感阿諾使用過的健身器材，可能帶有病毒顆粒長達數小時。這時候也顧不得形象是否太娘，快拿出沾有一百倍稀釋的漂白水小手巾擦拭健身器材後，再來鍛鍊您的胸肌。另一個方法：進行戶外運動，擁抱陽光，展現自然美。

要看順風球，不看放水球！

在戶外的球場看球，如果有其他球迷一直咳嗽，看看旗幟往哪兒飄，起身離開迎風處，改坐在背風處。

公車或捷運上，必備口罩。

身邊有人咳嗽，立刻戴上口罩，並離開他兩公尺以外。請注意：憋氣是沒有用的喔！

同學們！網交吧！

減少朋友聚餐吃喝頻率，少喝酒放縱降低自體免疫力，無聊時上微博或ＦＢ跟朋友互動，能不見面最好！

辦公室裡，當個孤僻的人。

如果有同事明顯感冒了，請老闆放他一馬，在家休養。必須強調若辦公室其他同仁都持盈保泰，公司才會運轉良好，暗示若大家都病了，老闆一個人上班會很孤單。如果感冒的同事堅持要上班，藉此展示鞠躬盡瘁的精義，我們只能自力救濟。取消不重要的約會或會議，鼓起勇氣問老闆能不能暫時在家上班。如果怕被裁員，建議選擇孤獨地躲在自己的小方格吃午餐，甚至晚餐，上廁所時選擇最荒涼，最乏人問津的洗手間，避免交叉感染，直到疫情過去。

這就是今天位各位帶來的預防流感十招，請大家多多練功。謝謝各位！

酒精
洗手乳

第8章

不花一毛錢，打造黃金免疫力

1. 就這麼簡單，打造孩子黃金免疫力

在談寶寶免疫力之前，我想先簡單和家長介紹人體免疫系統的運作。

免疫系統就像一支軍隊，每個阿兵哥的功能都不一樣，有些扮演衝鋒的角色，有的負責防守，我們的免疫系統也是如此，有很多體系，彼此分工合作。我以城牆、坦克與導航飛彈來比喻免疫系統的三個層次。

第一個層次是城牆，也就是「物理性的抵擋」，比如說我們的皮膚。如果皮膚有傷口，我們再去摳、抓，擴大皮膚表層的破壞，免疫力就降低了，病菌很容易就趁隙而入。舉例來說，蚊子叮咬之後，如果抓傷了，就很容易感染蜂窩性組織炎。

第二個層次是坦克車，所謂「非特異性的免疫細胞」。當病菌突破城牆，從皮膚、眼、口或鼻等黏膜侵入身體後，馬上坦克車就出動，進行消滅病菌的工作。這些不論敵人是誰，一律格殺勿論的坦克車，就是「非特異性的免疫細胞」。

第三個層次就是「T細胞」與「B細胞」。這一群受過精良訓練的細胞，就像導航飛彈

一樣，專門對付特定的敵人，比如說某種肺炎鏈球菌，或者某種病毒。其中的「B細胞」就是大家所講的「抗體」製造者，抗體一定要認識病菌，才能發動攻擊。

在寶寶免疫系統養成的過程，第一層的物理性及第二層非特異性不用訓練，但是「T細胞」和「B細胞」就要鍛鍊它們，一步一步認識特定的敵人。因此寶寶的免疫訓練，可分為出生後至六個月大、六個月之後至上幼稚園，以及上學之後三個階段。

第一階段：〇～六個月

六個月之前，是屬於「母雞帶小鴨」的時期。寶寶從破水而出，接觸到產道的細菌開始，漸漸開始茁壯成熟。此時嬰兒的免疫系統還沒有能力保護自己，需要來自媽媽的抗體幫忙，才不會生病。

媽媽的抗體會在寶寶身上生存六～九個月，所以在六個月大之前，寶寶遇到病菌，是和媽媽的抗體聯手抵禦，過程中自己也學會辨認敵人，逐漸讓免疫系統成熟。

步驟❶：注射疫苗，建立抗體

但是這樣的訓練過程太慢了，有時候也很危險，因為媽媽的抗體並不一定可以打敗所有的壞人。因此，我們針對一些會引起生命危險、容易引發重症的病菌，用疫苗的方式幫寶寶特別加強訓練，比如說百日咳、白喉、小兒麻痺等疫苗。這些病菌不能等待真的感染了才讓寶寶認識它們，萬一寶寶的免疫系統打輸了，很可能造成嚴重的後遺症，甚至死亡。

接種疫苗是讓寶寶不用接觸到真正的敵人，只要面對假的敵人，也就是抗原，寶寶的免疫系統就開始建立，日後就知道如何應戰。雖然不見得是百分之百的效果，時效也不是永久存在，但至少身體的免疫力有留存記憶，下次遇到敵人時依然可派上用場。

曾經聽到有一種謠傳，說太過依賴疫苗，反而會讓孩子沒有辦法自己產生抗體。我困擾這樣的說法，豈不是要讓孩子回到史前時代一樣，感染後能在存活的就活，不然就死，不是嗎？然而在這個生育率下降的年代，每個孩子都是寶，讓孩子的免疫系統獨自面對可能致命的病菌，是殘忍的，也是充滿風險的。

一般疫苗的研發，一定是挑容易引起重症的疾病下手，例如肺炎鏈球菌，可能引起腦

膜炎、敗血症等，因此只要是上市的疫苗，必然有它的重要性。死亡率不高的疾病，是不會有疫苗上市的。至於安全性如何，目前國際級疫苗工廠的審核都非常嚴格，安全性已遠遠超過三十年前的疫苗，家長其實大可放心。

步驟②：親餵母奶，強化寶寶免疫力

餵母奶是另一個保護寶寶的利器。雖然有了疫苗，許多致命的病菌不易入侵，但還是有很多輕微的病毒，不可能一一去製成疫苗。舉例來說，媽媽得了一個小感冒，這隻病毒可能就會傳給寶寶，但如果是餵母奶的話，因為母奶中很快就有抗體，寶寶就可以從中獲得保護，症狀可以變得比較輕微。

不過千萬不要誤會，喝母奶的寶寶還是會生病的，尤其是當病毒量太大的時候。因此，如果母奶媽媽感冒了，不要以為餵母奶就萬事ＯＫ，還是要常洗手、戴口罩，這樣小孩接觸到的病毒量才不會太大。至於母奶哺餵的方式，親餵當然是比較好，若是擠出來的話要馬上瓶餵，因為母奶放在冰箱之後抗體量會下降，效果打折。

第二階段：六個月～幼稚園

六個月之後，來自媽媽的抗體逐漸消失，寶寶體內的免疫大軍就要開始獨立面對敵人了。這段時間的戰略重點，套一句口語，是「戒急用忍」，不要讓寶寶的免疫系統一次接觸到太多的敵人。

沒有人會把一支剛訓練完成的新兵部隊，送去跟八國聯軍打仗。家長如果把這麼小的嬰幼兒放到群體生活，例如托嬰中心、托兒所、或是擁有很多孩子托育的褓姆家，那簡直是將羊丟入虎口。的確這樣做免疫系統會成熟得很快，但過程中可能會產生許多併發症。

曾經有個研究顯示，一所幼稚園，同一個時間，平均有三株病毒在流行，躲得了一個卻躲不了第二個，躲得了第二個又躲不掉第三個，一定要把三株病毒都湊滿了才有抗體。好不容易集滿了三個，已經病了三次，下一季的新病毒又來了，第四個、第五個、第六個病毒……，這對寶寶的免疫系統實在是太過強烈的刺激。

步驟③：拉長戰線，延緩群體生活

如果可以的話，家長應替孩子儘量拉長戰線，延緩孩子進入群體生活的時間。

戰線拉長的好處是，孩子是年紀大一點之後，雖然也是面對八國聯軍，但是感染的症狀會比較輕微，併發症也會比較少。比如說腸病毒、呼吸道融合病毒，或是肺炎鏈球菌，三歲以前感染跟三歲以後才感染，嚴重度就是不同；前者可能會住院，後者在家休息就可以，聰明人都知道應該怎麼選擇。

步驟④：照護寶寶營養，不吃藥丸，吃「粗」一點

在進入群體生活之前，家長照護寶寶的重點可以放在營養的補給，並給予寶寶充分活動的機會。所謂的營養補充並不是買健康食品或特別中藥燉補，而是均衡的概念。

打開網路商城，琳琅滿目的健康食品映入眼簾，什麼鈣片、維他命、益生菌、酵素，不勝枚舉。這些營養素大部分吃到身體裡，就從排泄系統出去了，因為大部分人體所需，都已經從日常食物攝取到，而且量不用太多。如果三餐正常就能獲取這些營養素，家長為

什麼需要花大錢呢？

大家要了解，免疫系統之間相互連結非常錯綜複雜，並不是單一營養素就能對免疫力有所幫助，一定是多元的存在，才能打造免疫系統的平衡。單獨、大量攝取某一種營養素，不只沒有幫助，也是不自然的。

我覺得老人家有句俗語很適合用在寶寶的營養照護：「要吃『粗』一點」，也就是不要讓寶寶吃太精緻的食物。所以能吃糙米，就不要吃白米；能吃雜糧麵包，就不要吃土司；能吃水果，就不要喝果汁。讓孩子吃到食物的原貌，而不是處理加工過的狀態，就能均衡的攝取到各樣的營養素。

步驟5：多吃「益生質」，寶寶腸道自生好菌

大家可能都聽過「益生菌」，卻比較少聽到「益生質」，益生質其實就是益生菌的營養來源。大家都知道其實益生菌是自然存在我們體內，偶爾也可以用外來的方式補充，也就是吞一顆「益生菌膠囊」。然而這樣的補充雖然短期有幫助，可是不久之後，腸道內的菌叢

就回到了原本沒補充之前的環境，必須要不斷吃新的膠囊才能維持狀態。

這樣豈不是太不健康，又太花錢了嗎？既然人類的腸胃道本身就有益生菌，健康的思維應該是：如何讓寶寶的腸道菌叢一直處於穩定的狀態，而不是光靠「外籍傭兵」過日子。要讓孩子的身體能產生益生菌，那就要讓他腸道內的「益生菌」有「益生質」可吃，這些益生質就存在於我剛剛所說的「粗食」當中，如全麥類食物、糙米、菇類等等。

第三階段：上幼稚園之後

經過三年的健康基礎，免疫力底子打好，就可以開始上戰場—進幼稚園了！

幾乎所有媽媽都有這樣的經驗：孩子送到幼稚園或托兒所之後，感冒、腸胃炎、中耳炎就接踵而至，本來健健康康的小孩，開始必須常常跑診所。根據不同的研究，學齡前的孩子每年得到的病毒感染從五次到十三次不等；換句話說，幾乎每一、兩個月就會生病一次，只是症狀不見得都很明顯，有時候一、兩天就不藥而癒了。

綜觀國內外的研究都顯示相同的結論：就是送幼稚園或托兒所的小朋友，不論感冒、

腸胃炎或中耳炎的次數，都比在家的孩子多上一、兩倍；這些孩子也比較容易引發氣喘，或者被投予抗生素治療。

幼稚園或托兒所流行的病毒種類非常多，而且每一年還會變種，包括腺病毒、鼻病毒、冠狀病毒、流感病毒、副流感病毒、呼吸道融合病毒、人類間質肺炎病毒、令人聞之色變的腸病毒，還有造成腸胃炎的輪狀病毒、諾羅病毒等等。幾乎不可能有孩子進入幼稚園上學，還能全身而退。

既然大小感染不斷，是上幼稚園或托兒所必經的宿命，家長大可正面看待這件事實：每一次的感染，就是幫助孩子產生多一種病毒的抗體，讓他們的免疫大軍逐步邁向成熟。等到各式各樣的抗體蒐集足夠之後，孩子的抵抗力就趨於健全，也比較不容易生病了。專家發現，經過幼托園所四年以上「磨練」的孩子，上小學之後就比較不會生病感冒。意思就是說，這些病毒要不就是現在得，要不就是將來得，所以該中獎的還是都會中，只是誰先誰後而已。

話雖如此，孩子生病畢竟是很辛苦的事，家長依然有些方法，可以幫孩子預防或減輕

感染的症狀。

首先，孩子的免疫大軍需要營養的補給，所以平常就應該給孩子均衡的飲食，其中維生素C、D等的補充更為重要。糙米、全麥麵包、深色蔬菜、深色水果，這些富含維生素與益生質的食物，天天都要攝取。

另外，不要整天只是窩在室內，要到戶外曬太陽，讓陽光活化皮膚上的維生素D。根據研究，維生素D是免疫力的關鍵元素之一，而現代孩子因為很少戶外運動，普遍都缺乏之。若是每天中午曬曬二十到三十分鐘的太陽，就可以有一萬單位的維生素D被釋放，等同於五顆小善存的量，還不趕快讓孩子出門跑一跑呢！

除了平時健全免疫力之外，在特別的疾病流行期，大人也要教導小朋友藉由洗手與戴口罩這兩個動作來避免感染。

洗手分乾洗手與溼洗手兩種，重點都是要用力搓。如果流行的疾病是呼吸道感染病毒，那麼使用濃度七五％的酒精乾洗手就可以了。但若流行的是腸病毒、輪狀病毒、諾羅病毒等腸胃道侵入的病毒，酒精就沒有效果，這時必須靠肥皂沖溼洗手，確實遵循「溼、

搓、沖、捧、擦」五個標準動作，才能洗乾淨手上的病菌。另外，還要時常提醒孩子不要把手放嘴巴裡、挖鼻孔，或是揉眼睛，這樣才不會讓病毒有機會接觸呼吸道粘膜，進而侵入身體。

至於戴口罩，這對幼兒其實是個不切實際的做法，尤其一整天在幼稚園或托兒所裡，基本上都算是公共場合，不可能要求孩子無時無刻戴著口罩，此舉反而增加溼疹的機率。

如果孩子真的被感染了，最好是讓孩子在家休養，不要再到學校去。在家休養一方面可避免病毒傳染給別的同學，另一方面也是藉由好好休息、喝水，免疫系統才能早點把病毒清乾淨。而且最令人害怕的其實不是病毒，而是病毒感染未癒又遭細菌感染。如果孩子到學校裡，暴露在更多細菌當中，本來只是單純的感冒，反而可能併發肺炎。

步驟⑥：維生素D與感冒有關

不論哪一個年齡層，除了營養，我不斷強調帶孩子多到戶外跑一跑以及曬太陽，主要是因為身體與免疫力息息相關的維他命D，需要靠陽光去活化。

我們常常說：常常窩在家裡容易感冒。可是，究竟是什麼原因讓宅男比較容易感冒？似乎沒有一個好的解釋。這裡有一則新聞可能可以提供參考。

美國 Dr. Adit A. Ginde 的研究發現，血中維生素D的濃度愈低，感冒的機率愈高，尤其在氣喘或慢性氣管阻塞的人身上更為顯著。因為維生素D來自兩個來源：曬太陽，以及食物的攝取；因此符合邏輯的結論就是：多到戶外曬一曬陽光，不要整天窩在家裡，以及適量補充維生素D的食物（牛奶、蛋黃、沙丁魚、肝臟、魚子醬、魚肝油），也許是預防感冒的兩個方法。

步驟⑦：喜樂的心，乃是良藥

最後一個打造黃金免疫力的重點，就是愉快的心情。《聖經》說：「喜樂的心，乃是良藥」，這句箴言絕對不是神學，而是科學。所有人都同意，快樂的生活比較不容易生病，因為心情好，抵抗力就佳，這是得到科學證明的事實。孩子的心情當然也是免疫力的指標，家人常陪在身邊，生活很開心的孩子，其實不容易生病；反而是整天被修理，強迫做不喜

歡做的事情，孩子才會整天跑醫院。

我在門診看太多不愉快的孩子，當家長問我「為什麼他常常生病」的時候，也只能搖搖頭嘆口氣。如果爸爸媽媽每天能抱抱孩子，告訴他們你們愛他，陪他們講故事，看看他們臉上的笑容，相信我，很多疾病一定會不藥而癒。

2. 洗手！洗手！再洗手！

猜猜一般人身上最骯髒的配件是什麼？根據英國最新的研究顯示，九二%的手機都帶有高量的細菌。有趣的是，這些細菌竟然包括糞便裡才會出現的「大腸桿菌」！

大腸桿菌怎麼會跑到手機上面呢？想當然爾，就是上完廁所沒洗手。但奇怪的是，當這些手機的主人被問到是否有用肥皂洗手時，九五%的答案都是「有啊！」也許是他們洗手的方式不正確，再不然就是說謊，不好意思承認自己衛生習慣不佳。不過還有一種可能，就是他們習慣在上廁所時講手機、發簡訊、或玩遊戲打發時間；上完廁所後，手機直接放入了口袋，雖洗了手，但細菌還在手機上跳舞。

忘記洗手的民眾，總有各式各樣的理由推託，好比說趕時間啦、水太冰啦、洗手台太遙遠找不到等等。這些藉口對負責醫院感染管制的主管而言，聽來格外熟悉，因為忘了洗手的醫生、護士也都這樣抱怨。這也是醫院以及政府機關未來應該要努力的方向：除了宣導洗手很重要，還要設置便利的洗手設施，才能提升洗手率。

大家應該知道，儘管手看起來沒有髒髒的，或聞起來沒有味道，都不代表手上沒有細菌、病毒。疾病管制局公布了一般民眾的「洗手五時機」，分別是：吃東西前、照顧小孩前、看病前後、上廁所後，以及擤鼻涕後。看起來很容易，但真要確實執行，恐怕也沒那麼簡單。

在門診常常有寶寶感染沙門氏桿菌腸胃炎的媽媽問我，她上網查詢得知，沙門氏桿菌感染應該是吃進了沒煮熟的雞或是蛋，可是她的寶寶還在喝奶，怎麼也會感染呢？我的回答是，媽媽在廚房忙，寶寶突然哭了，可能才剛打完一顆蛋的媽媽，連忙在水龍頭下隨便沖了幾下手就去泡奶粉。這時候雞蛋上的沙門氏桿菌，就透過媽媽的手，跑進寶寶的奶粉裡面了。

細菌還算客氣，如果是病毒，好比腸病毒或輪狀病毒，有時候手上只要沾染了十隻連顯微鏡都看不見的小蟲，就可以藉由手摸來摸去而散播。你們說，洗手的重要性，是不是比想像中還要高呢？

手機的故事讓我們知道上完廁所後要洗手；而沙門氏桿菌的故事則讓我們知道，照顧

小孩前與吃東西前也要洗手。然而究竟要怎麼洗才洗得乾淨？

問小朋友洗手的五步驟「溼、搓、沖、捧、擦」，他們多能朗朗上口。其中「搓」要使用肥皂，完整的搓二十秒；「擦」要把手擦乾。這兩個洗手最重要的動作，千萬不能馬虎。根據資料顯示，超過六成的民眾未落實正確洗手（包含未用肥皂／洗手乳等洗手，或洗手後未擦乾）；近五成民眾洗手過程中沒有使用清潔品（肥皂或洗手乳等）的習慣，也有約三成民眾洗手後未把手擦乾。於是政府又推出搓洗手「內、外、夾、弓、大、立、腕」的七字訣，以及「肥皂勤洗手，擦乾後再走」的口號，真佩服他們的創意，從五字訣的口號又延伸出七字訣、十字訣，口號中有口號，好像俄羅斯娃娃一樣複雜！

為什麼一定要用肥皂？主要是因為手上許多看不見的油脂裡其實藏了許多病菌。如果我們用肥皂把油脂清除，加上搓揉的動作，就能破壞這些病菌溫暖的窩，再用水沖掉，達到殺菌的目的。

告訴各位一個祕密，要防止任何病毒的疫情傳播，不管是停班、停課或者戴口罩等等，效果都不佳，而且勞民傷財。實證醫學資料庫顯示，要防止病毒傳播最有簡單有效的

方式，就是教導「孩子」洗手。

因為會造成病毒傳播的主要元兇，並不是成人，而是小孩。小孩在傳播病毒佔有重要角色，是因為他們很容易摸來摸去，這在大人的行為上是比較不常見的。因此，將孩子教會好好洗手，不只是保護孩子，而是保護整個社會。

曾經就有一個在巴基斯坦的研究，教導四千三百三十二個孩子每天用肥皂洗手多次，結果可以減少「整個社區」包括大人五〇％的呼吸道疾病。另一個研究也發現，如果在學校放置酒精洗手，並教導孩子洗手，可以減少四三％的學生缺席率。

最後來講一個很另類的「不洗手的好處」。什麼？不洗手也有好處？是啊，很奇怪吧！時空拉到四十年前的台灣，在那小兒麻痺病毒還肆虐的年代，政府決定引進口服沙賓疫苗來防治疫情。口服沙賓疫苗是「減毒的活疫苗」，吃進去之後，會在身體複製、生長，然後從糞便排出。如果小朋友吃了沙賓疫苗，上完廁所不洗手，又去摸別的小朋友，這隻「具有保護力」的病毒就會傳給那位被摸的小朋友，小朋友把病毒吃進肚子後，同樣也不會生病了。藉由這種類似「老鼠會」的模式，短短幾年之間，台灣的小兒麻痺症就被根除絕跡。

嗯，還是不要告訴小朋友這個故事好了，以免下次上完廁所忘記洗手的時候，他們拿這個故事當做藉口！

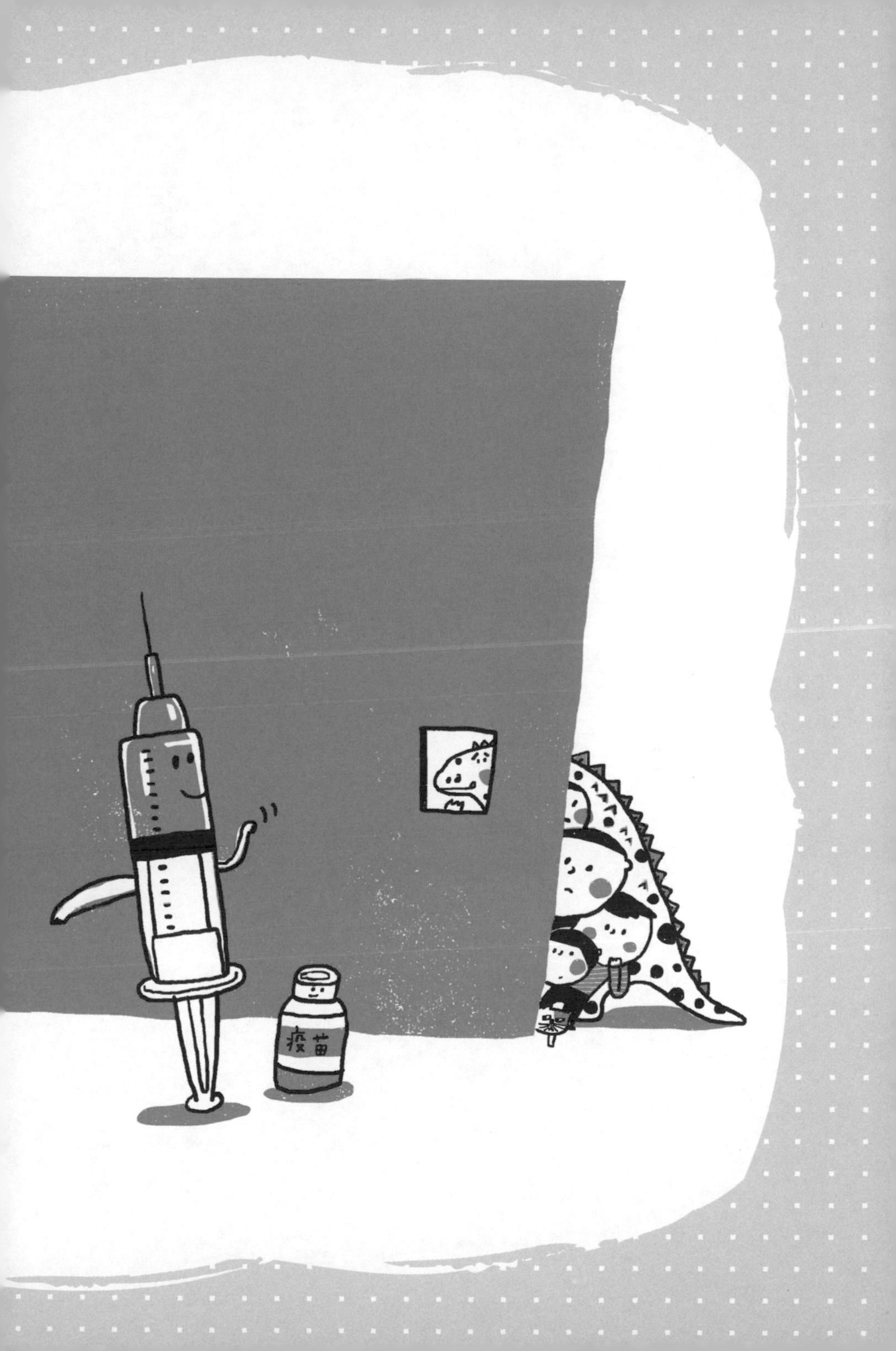
疫苗

第9章

誰知疫苗情，針針皆辛苦——家長需要知道的疫苗知識

1. 五S方法，減輕寶寶打預防針的疼痛

雖然接種疫苗對孩子是好事，但是每當媽媽看到疫苗的針一打在寶寶身上，他們的眼睛先是驚恐地瞪大，然後臉部扭曲大哭，是否心裡依舊捨不得呢？

曾經有醫生為了減輕寶寶的疼痛，在打預防針之前給予口服的止痛藥，比如說普拿疼之類的。然而研究顯示，打針前後給予止痛／退燒藥，會讓疫苗的免疫效果大打折扣，而不建議使用。

不用吃藥，今天就讓我告訴各位一招「減輕寶寶疼痛之五S方法」。

第一個S是swaddling，也就是「襁褓」，將寶寶用包巾緊緊地包覆住，只露出一條大腿打針，這樣可以增加他的安全感，感覺好像依然置身於母親的子宮。

第二個S是side/stomach position，簡單講就是趴著或是側身躺著，在爸爸或媽媽的懷抱裡，而不是仰著頭。

第三個S是shushing sounds，請媽媽嘴巴發出類似收音機沒對到頻率的白雜音（white

noise），聽說寶寶會覺得那是子宮裡媽媽動脈血流的聲音，而感到安全。

第四個S是swinging，輕輕搖晃寶寶，當然，打針的那一瞬間不要搖。

最後一個S是sucking，讓寶寶有個東西可以吸吮，最好的當然是母奶，不過其他的替代品如奶嘴，或是奶瓶都可以。

根據美國兒科醫學會期刊的一篇研究顯示，嬰兒打完預防針之後藉由這五S的方法，可以在四十五秒之內讓寶寶停止哭泣！

最後一個S的吸吮動作，以親餵母乳的好處最多。親餵母乳除了給寶寶吸吮之外，還與媽媽肌膚的貼近，加上母乳裡的甜味，三者加起來安撫的效果是加倍得好！

其實過去有許多止痛的研究，想幫助寶寶度過這人生中必經的小疼痛，其中包括給予寶寶喝蔗糖液，或者打針的地方擦表皮的麻醉藥。雖然擦表皮的麻醉藥物也有一定的效果，但是並非每個媽媽都能接受這樣的方法，或者得到這樣的藥物。

至於蔗糖液的部分，根據這項研究的結果顯示，喝蔗糖液的寶寶，打完針之後還會哭達兩分鐘，顯然輸給五S的四十五秒。

聽說這個五S方法是美國一個超人氣小兒科醫師Dr.Karp發明的，比較好笑的是，他真的有在賣一張CD，放出來就是收音機沒對到頻的白雜音，號稱可以安撫寶寶的情緒。也許是真的，但是這樣的CD放出來一個音符也沒有，好像音響壞掉一樣，未免也太……特別了吧！

2. 流感疫苗，為誰打？

又到了打流感疫苗的季節，究竟要不要帶孩子去打疫苗，總令家長傷腦筋。其實不只是流感疫苗，許多疫苗政策在制定的時候，一定也會考慮到這個問題：「這支疫苗，是為誰而打？」在回答這個問題之前，容我先講個故事。

據說蔣夫人宋美齡晚年的某一個冬天，醫生們面臨了是否要為她施打流感疫苗的困難抉擇。困難的並不是疫苗好不好的問題，而是沒有人敢把針扎在蔣夫人的玉體上。畢竟她年事已高，若發生什麼巧合的病痛，恐怕替她決定接種疫苗的主事者難辭其咎。但若沒接種疫苗，萬一感染流感病毒而有了個三長兩短，豈不更糟糕？

進退兩難之際，醫生們想出一個辦法。因為蔣夫人平常足不出戶，最多就是在院子裡散散步、澆澆花，平常接觸的人不外乎是廚子、司機、傭人等等，生活環境很單純。所以只要讓服侍蔣夫人的員工統統接種疫苗，這些員工沒有得到流感病毒，蔣夫人也就應該不會生病了。

這個策略就叫做「繭縛」（cocoon strategy），藉由在相對健康的人身上接種疫苗，來保護相對有重症風險的族群。

每次講到疫苗，很多人腦海中就會想著：「何必呢？我這麼健康，就算生病也可以藉由自己的抵抗力恢復吧！這樣抗體豈不是更強，所以根本不需要打疫苗。」

這樣的說法只對了一半。

台灣就像是當年蔣夫人的大宅院，在這莊園裡，每一個人的健康都是互相影響的。也就是說，有時候接種疫苗不是為了自己，而是為了同住在這座島嶼上，相對有疾病危險的同胞們。

我是一位正值壯年，不抽菸、不喝酒、沒有慢性疾病的健康男性。如果我得了流感，只要多喝水、多休息，大概也不會怎樣。但因為我的職業是醫師，且家中有一個剛滿週歲的嬰兒，我必須接種流感疫苗，來保護我的病人（早產兒、重症患者、氣喘病童），以及我的小孩。

來看看每年流感疫苗第一批接種的族群：六十五歲以上老人、安養機構的住民及照護

人員、罕見疾病患者、滿六個月以上至國小四年級幼童、醫事及衛生防疫相關人員、禽畜業及動物防疫相關人員、重大傷病患者。

這些人當中，最大宗的莫過於老人和學童。應該很多人質疑，為什麼流感疫苗都不放過學童呢？小學四年級已經十歲，抵抗力並不差，罹患重症機率也極低，何必打疫苗呢？

這個問題就是我要回答的重點。

首先，學校和幼稚園，絕對是流感病毒的培養皿，這句話應該不會有人反對。集體生活的兒童，是所有年齡層中，社交行為最頻繁的一群。不管正確洗手的宣導多麼落實、隔離措施多麼完備，只要班上有人得到某種病毒，藉由小朋友互相摸來摸去，以及公共設施的媒介（水龍頭、門把、課桌椅），病毒的傳播根本如入無人之境。歷史上所有的流感大流行，都是從兒童開始；只要家中的孩童開始感冒，兩週之後成人的流行潮就出現了。

其次，年紀小的幼童家中，可能有兩歲以下的弟弟妹妹，或六十五歲以上的阿公、阿嬤，也許臥床，也許有慢性病纏身。這些幼童從「病毒培養皿」放學後，將病毒帶回家，自己康復了，卻讓嬰兒與老人這兩個重症危險族群受到感染，甚至死亡。

第三，就算是獨生子女的小家庭，孩子如果得了流感，至少得居家休養一週不能上學。這時候平常得上班的父母只好請假，在家照顧病童，不僅家長手忙腳亂，老闆臉色難看，對國家生產力也不是一件好事。

所以讓學童接種流感疫苗，對於國民整體的健康而言，肯定是利多。雖然這樣解釋之後，家長會比較了解疫苗政策制訂的原因，但畢竟針是打在自己小孩身上，會不會發生副作用，心裡還是怕怕的。在本書的其他章節，我會再針對流感疫苗的一些迷思，幫各位一一解惑。

3. 看懂疫苗安全的兩大門道

瓜田李下的故事大家都聽過：在別人家的瓜田裡撿鞋子，或者是在別人家的李子園中扶帽子，如果剛好那幾天瓜兒被偷拔，李子被偷摘了，誰都會懷疑是你幹的好事。

但是時代不同了，看過《CSI犯罪現場》影集的人都知道，要將壞人定罪必須一分證據說一分話，不能隨便誣賴無辜。但瓜田裡沒架攝影機，現場也沒留下指紋，要如何證明這名嫌疑犯是有偷還是沒偷呢？

流行病學的專家提供了一個方法。他們假設，如果瓜田每個月平均被偷五次，那麼當這名嫌疑犯被關在拘留所的同時，瓜田每個月的平均失竊率應該會下降。如果從頭到尾偷瓜賊只有他，每個月失竊率應該會變成零。如果還有其他偷瓜賊，至少也應該降為四次或三次吧！

結果這位瓜田李下的嫌疑犯在拘留所待了一年，失竊率依然是每月被偷五次，在沒有證據之下，他終於被警方釋放了。釋放之後，這位老兄還是常常在瓜田李下撿鞋子、戴帽

子，然而隔年的失竊率還是維持不變，證明他的確是清白的。因為無論他在或不在，整體數據都沒有改變。

這個「瓜田寓言」到底在影射什麼相關話題呢？答案就是可憐的「流感疫苗」。流感疫苗安全嗎？相信這是很多人心中的疑問。流感疫苗的安全監測在美國與歐洲早已行之有年，台灣則是因為二〇〇九年新型流感疫苗的安全性飽受質疑，因此疾病管制局也已開始建立疫苗上市後的監測系統，以期待民眾對於疫苗安全更有信心。

自己來一場「科學辦案」

一般來講，要知道疫苗安不安全有兩個方法，第一個就是「被動監測」，第二個是「主動監測」，這兩者缺一不可。

❶ 被動監測法：靠抓耙仔辦案

所謂的被動監測，就是當民眾或醫生懷疑接種疫苗之後，發生了某種副作用，自己跑

去跟疾病管制局或衛生署反映，由主管機關「被動受理」，這就叫做被動監測。就好比瓜田的農場主人自己去跟警察報案：「我的瓜被偷了，我懷疑就是那個〇〇〇幹的，」警方受理報案，是一樣的道理。

被動監測必須存在，因為得到這些通報的資料，有時候會發現某一種副作用突然增加，會讓監測的單位警覺，進一步好好調查兩者的相關性。被動監測不需要邏輯，內容可以天馬行空，只要你有懷疑，都可以通報。但事實上這些症狀不見得與疫苗相關，也就是瓜田李下走來走去的人，其實大部分都是善良的老百姓。

如果各位看過美國被動監測的VAERS網站，或者看看國內這兩年流感疫苗的不良事件通報統計，可以發現很多令人無法想像的副作用：比如說打完疫苗一個月之後中風，打完疫苗兩個月之後關節疼痛等等。這些通報的個案很少，學理上也難以連結相關性，所以審核的專家通常會以「與疫苗無關」做結。但是如果這樣的新聞上了媒體，民眾只看到了片面之詞，很容易將這些通報個案誤認為是與疫苗相關的副作用。

但是凡事都有第一例，比如說一九七六年的豬流感疫苗，就首開先例地被發現會增加

罹患「格林—巴利症候群」(Guillain-Barre Syndrome，一種漸進式神經麻痺的嚴重症狀)的機率。如果要進一步證實某些少見的副作用是否與疫苗接種相關，此時「主動監測」就派上用場了。

❷ 主動監測法：靠統計分析辨案

所謂的主動監測有分好幾種統計的方法，但精髓只有一個，就是比較「有在打疫苗的時期／人」，與「沒有在打疫苗的時期／人」，這個被懷疑與疫苗相關的疾病，其發生率是否有改變。上述瓜田李下的例子，當偷瓜嫌疑犯被關起來之後，統計瓜兒的失竊率在他「被關之前」、「關進監牢時」，以及「放出來之後」，三個時間點有沒有改變？如果有，表示嫌犯真的有問題，如果沒有，他就可能是無辜的。

舉例來說，二〇〇九年的新型流感疫苗，經過一年的主動監測顯示，「格林—巴利症候群」的疾病發生率在疫苗還沒開打之前，正在打疫苗的時期，以及停止打疫苗之後，數字都相差無幾。這樣的統計方法間接證實了，這項疾病與接種疫苗並無相關，流感疫苗可以

被無罪開釋了。

因為這些疾病的背景資料並不是由民眾來通報，而是由主管機關「主動」調閱資料去尋找其相關性，所以叫做「主動監測」，是一個耗時費工，需要大量完整資料才能完成的大任務。

經過我繁複地解說，讀者應該可以了解，要證明流感疫苗是否安全，並不是專家隨口說了就算，必須藉由兩種不同的監測方式，無時無刻地進行，這樣才真正符合「科學辦案」的精神。

最後公布答案，近年來國內外有關流感疫苗的安全性監測，不論是對兒童、孕婦，甚至對雞蛋嚴重過敏的族群，都是安全無慮的，民眾可以安心接種！

4. 三種新疫苗：肺炎鏈球菌、輪狀病毒、人類乳突病毒

人類數千年的歷史，雖然在人文藝術上不斷進步，然而對於感染性疾病，卻一直是束手無策，只能聽天由命。一切扭轉頹勢的契機，都發生在過去這一百多年，包括發現細菌病毒，開始用抗生素治療等等。另一項改變人類健康重大的歷史事件，就是疫苗的應用。

特別的是，疫苗的發明竟然遠比細菌的發現還要早，在還不知道敵人是誰之前，竟然就有武器可以對付疾病。其實原因不難理解：疫苗的作用並不是用「人類所發明的方法來治療疾病」，而是遵循著上帝原始的設計，也就是藉由我們身體裡主動產生的免疫力，來對抗疾病。疫苗就像是帆船，順著自然的風向前進，速度雖慢，但是幾乎可以到達任何我們想去的地方；而抗生素就像是飛機，雖然可以迅速而精確到達目的地，然而並不是每個地方都有機場。

過去一百年來有許多的疫苗被發明出來，所對抗的疾病有些已經絕跡，有些則因為在

台灣不常見，所以沒有列入常規的疫苗。總之目前台灣孩子所需要的預防接種，就是寶寶健康手冊上的那幾項，以及一些自費的疫苗。

這十年來有三個重要的新疫苗問世，也就是接合型肺炎鏈球菌疫苗、輪狀病毒疫苗以及子宮頸癌疫苗。本章就針對這三種疫苗做一個簡單的介紹。

接合型肺炎鏈球菌疫苗

目前兒童感染性疾病中最重要的細菌，肯定非肺炎鏈球菌莫屬。肺炎鏈球菌會造成的疾病不只是肺炎而已，其他還有中耳炎、鼻竇炎、腦膜炎，甚至敗血症等等。這麼重要的致病菌，人類當然會想要發展出疫苗來對抗它。

在〈一號鐵雄：肺炎鏈球菌〉一文中提過，肺炎鏈球菌共有九十多個分型，而舊型的「二十三價莢膜多醣體肺炎鏈球菌疫苗」，就是萃取其中二十三型的細菌做為疫苗。然而這種莢膜多醣體疫苗對兩歲以下的幼兒並沒有幫助，就算打在成人身上，隨著時間久遠，效果也是愈來愈差。

於是乎在二〇〇〇年的時候，新的肺炎鏈球菌疫苗，終於突破了瓶頸，可以接種在兩歲以下的小孩身上。這種新的技術，沒辦法一次囊括二十三型這麼多，所以剛開始只有選擇其中七型的肺炎鏈球菌做成疫苗，叫做「七價接合型疫苗」。七價疫苗進入美國幼兒的公費系統之後，侵襲性肺炎的數字快速滑落，兒童病例減少了將近九成，真的是很驚人！

這個疫苗不只反應好，還可以產生免疫記憶，更出乎意料之外的是，雖然疫苗是打在小孩身上，沒想到老人的肺炎病例也開始下降，減少了將近兩成。這個現象證明了兩件事：第一，接合型疫苗可以清除兒童鼻腔攜帶的肺炎鏈球菌，包括那些還沒發病的帶菌者。第二，原來老年人得到的肺炎，大部分是他們鍾愛的金孫傳染的！

自從七種接合型疫苗開始接種之後，肺炎鏈球菌因此受到嚴重的打壓，變得很難生存。不過人在壓力下會成長，細菌也是如此，因此有兩個重要的改變，正悄悄地浮現。

第一，因為七價疫苗只能保護這七種型別的細菌，因此「不屬於這七價」的血清型細菌漸漸取而代之成為霸主，其中最兇狠的一隻叫做十九A血清型。如果已經打了七價疫苗的孩子卻得到嚴重的肺炎，幾乎可以猜到就是這隻十九A在作怪。

第二，稍早前我們也提過肺炎鏈球菌與流感嗜血桿菌這兩隻細菌，常常在我們的咽喉搶地盤，看看誰才是這個身體的地頭蛇。現在因為肺炎鏈球菌疫苗的普及，咽喉帶菌的地盤已不再是肺炎鏈球菌獨大，漸漸被一種叫做「不分型流感嗜血桿菌」佔領，而這隻細菌可以引發中耳炎和慢性氣管炎等等。

目前兇狠的十九A，和不分型流感嗜血桿菌的崛起這兩個問題，分別都有了解決的方法，可惜這兩個方法都不完美。

七價疫苗的成功，讓藥廠更有信心發展價數更高的疫苗，因此從二〇一〇年開始，新發明的「十價」與「十三價」接合型疫苗，成功地取代了七價疫苗的地位。

其中十三價疫苗解決了第一個問題：十九A。這十三種血清型肺炎鏈球菌，就包含了這隻惡名昭彰的十九A細菌，如果單純以預防嚴重的侵襲性肺炎角度來看，十三價疫苗的確是最好的選擇，保護範圍也相當廣。

不過得到侵襲性肺炎的孩子畢竟不多，反而是曾經患過中耳炎的孩子不算少數，而且中耳炎的致病菌已經有很大一部分被「不分型流感嗜血桿菌」佔領了，這個問題則由「十

價疫苗」來解決。十價疫苗名字取得不好，它其實應該叫做「肺炎鏈球菌與嗜血桿菌二合一混合疫苗」，可以同時預防這種不分型流感嗜血桿菌的感染。遺憾的是，十價疫苗當初押錯寶，沒有將十九A含括在十個疫苗保護的血清型別之中，這一步走錯，導致現在它的定位十分的尷尬。

每次媽媽問我：「黃醫師，這兩種疫苗哪一種比較好？」總是令我沉吟半天。如果單純以肺炎鏈球菌的預防而言，十三價當然比十價好，這是簡單的數學問題。但是從另外的一個角度來看，搞半天這兩種疫苗根本就是橘子跟香蕉比，誰比較好？看來是永遠不會有答案了。

為了避免各位誤會，以為好像有了某種疫苗之後，另一種細菌就會取而代之造成疾病，造成疫苗一個接一個永遠打不完，並不是這樣子的。在美國，光是七價接合型疫苗，就已經將侵襲性肺炎的發生率打得抬不起頭來，十九A再怎麼猖狂，也不過是非常少數的人受到感染罷了，疫苗對整體而言，影響還是非常正面的。而「不分型流感嗜血桿菌」所造成的感染，相對於肺炎鏈球菌，也是小巫見大巫，症狀並不會那麼嚴重，有點像是趕走

一個黑道老大（肺炎鏈球菌），換來一個小流氓（不分型流感嗜血桿菌）的意思。

輪狀病毒疫苗

如果您家的寶貝曾經因為嘔吐或腹瀉而求醫，應該對於輪狀病毒這個名詞不陌生。無論在開發中或已開發國家，輪狀病毒都是造成嬰幼兒腸胃炎最重要的原因。在台灣疫苗還沒上市之前，估計每年五歲以下的住院幼童，有半數是因為輪狀病毒而入院，其中又以六個月至兩歲的幼兒最容易被感染。

輪狀病毒疫苗上市已經滿五年，全世界的研究都顯示效果好得不得了，而且沒什麼副作用。這支疫苗是吃的，不是注射的，所以寶寶不用挨針。按照規定吃疫苗的時程是一個半月到八個月之間，最好是在四個月之前就開始吃，不然會來不及完成兩劑或三劑的接種。吃完之後，雖然還是有可能得到輪狀病毒感染，但是症狀很輕微，住院率可以降低到接近零！

很多人好奇為什麼八個月大以上的寶寶不能再吃輪狀病毒疫苗，這個規定其實是有歷

史淵源的。早在一九九八年，史上第一支輪狀病毒疫苗就已經上市了，這支疫苗名為RotaShield。一年之間，有八十萬名以上的嬰兒口服了這支輪狀病毒疫苗，效果其實很不錯。就在全球兒童歡欣鼓舞，藥廠準備數鈔票的時候，這疫苗卻在很少數的兒童身上，發生了一個始料未及的副作用：「腸套疊」。

腸套疊是兒童特有的腸胃道疾病，小腸因為打結而阻塞，輕則只是腹痛嘔吐，重則引起敗血性休克。這樣的套疊最常發生在一、兩歲的小朋友。研究發現，如果在這個年紀剛好吃了RotaShield，發病的機率就會增加。

RotaShield經過二十年的研發，上市一年，就因為腸套疊的副作用被下架了，當時負責此疫苗的公司多年來投資付諸流水，差點要倒閉。幸好當統計專家把所有的資料審視一遍之後，發現只要是八個月之前吃疫苗的寶寶，就不會增加腸套疊的機率。所以當新輪狀病毒疫苗在做臨床試驗的時候，就已經嚴格規定不可以讓八個月以上的寶寶吃到疫苗，這樣就不會重蹈上一家公司的覆轍了。事實也證明到目前為止，兩家疫苗（兩劑型和三劑型）都不會增加腸套疊的機會！

嬰兒口服輪狀病毒疫苗常常碰到的問題是：如果服用後吐掉了，要不要再補一劑？答案是：不用再補。但是有腹瀉或嘔吐症狀的嬰兒，應延後口服輪狀病毒疫苗。

子宮頸癌疫苗（人類乳突病毒疫苗）

大家一般看到子宮頸癌疫苗，應該直接想到的是打在女孩子身上，但是從二〇一二年開始，這隻疫苗也可以打在男孩子身上。

這背後的邏輯不難理解：女人因為性行為而感染人類乳突病毒，經過幾年之後少數癌變成子宮頸癌。這病毒哪裡來？當然就是當初跟他在一起的男人。所以既然疫苗可以保護女人不要感染人類乳突病毒，進而減少子宮頸癌的罹病，當然疫苗也可以接種在男人身上，減少他藉由性行為將病毒傳染給女人的機會！

不過以上的描述只是一種假設，因為很難評估一支疫苗打在男人身上，可以多有效地保護女人，這中間的變數太大，不確定的因子太多，等待的時間也太久。所以目前這支疫苗打在男人身上，主要訴求預防的疾病是「菜花」，同樣是人類乳突病毒所造成的性病。

人類乳突病毒可以在人類身上造成疾病的大概有三十多型，其中造成子宮頸癌的型別最多是十六和十八型，而造成菜花最多的是六和十一型。所以聰明的讀者應該馬上知道，市面上的「四價人類乳突病毒疫苗」，就是針對六、十一、十六和十八這四型的病毒，男女通吃；另一種「兩價人類乳突病毒疫苗」是只針對十六和十八兩型，專門預防子宮頸癌。

上面的敘述相信大家都沒有疑問，令家長困擾的是接種的年紀。根據美國兒科醫學會的建議，女生十一到十二歲應該接種四價或兩價型人類乳突病毒疫苗，男生也是十一歲起開始接種四價型的疫苗，而且不管男生女生，第一劑疫苗都可以提前到九歲接種。

「九歲?!」媽媽聽到一定大聲驚呼，「你的意思是我的寶貝女兒或兒子，九歲就會發生性行為嗎？」

我相信這樣的假設大家都不能接受，然而專家的思考邏輯卻不太一樣。

首先要認知的是，爸媽對於兒女性行為的了解，其實大部分是被蒙在鼓裡，或者是粉飾太平。根據研究顯示，有將近一半的家長其實對孩子的性經驗是低估了，這年齡也許不是九歲，但很可能是十五歲，並不會比較好一點。第二，如果女孩子在未成年之前就發生

性行為，因為子宮頸粘膜未成熟，感染人類乳突病毒的機率比成年女性高出許多，因此在這個年齡若發生性行為，更要給予疫苗保護。至於能保護到幾歲，研究顯示，人類乳突病毒疫苗的效果可長達十年以上，所以如果在九歲的時候接種，那麼至少可以保護女孩到十九歲以上，甚至更久。

站在公共衛生的角度而言，十一到十二歲的男孩女孩，應該是接種疫苗最好的年齡，可持續保護到二十出頭，接著就算是成年人了。有些家長會擔憂接種這樣的疫苗，會讓這些學生更加肆無忌憚的發生性行為，不過根據研究顯示並沒有發生這樣的趨勢。這些孩子甚至因為對疾病的認知，才了解到這世界上原來有一大堆性傳染病發生在青少年身上，反而會更加謹慎。

人類乳突病毒疫苗唯一的禁忌是懷孕，懷孕的孕婦是不能接種疫苗的。另外此疫苗也不能取代每年的六分鐘護一生——「子宮頸抹片檢查」。

最後的提醒

一個疫苗上市，必定有它的醫療貢獻與經濟效益。打疫苗就像是買保險，買的保險愈多，愈花錢，然而要是真正遇上意外時，花的那筆保險費相對於意外的花費，就算不得什麼了。疫苗也是一樣，如果您的孩子得到上帝眷顧，完全不會生病，那麼這些疫苗的確是不需要接種；但是萬一不幸真的生病了，恐怕屆時再回想起沒有幫小孩接種疫苗的疏忽，必定是後悔不已。

所有疫苗都可能有副作用，但這些副作用的嚴重度絕對不比疾病高；這些疫苗都經過美國或歐洲藥品上市的嚴格審查，才能進到台灣來，因此副作用發生的機率也一定是少之又少。千萬不要聽信謠言或未經查證的媒體報導，而拒絕給寶寶接種疫苗！如果有疑問，找您信任的醫師溝通詢問，相信他的專業必能給您正確而滿意的答案。

5. 保護孕媽咪：德國麻疹疫苗的時效性

我的朋友要結婚了，來找我做婚前檢查，抽血看看有沒有德國麻疹病毒的抗體。現在台灣九五％以上的幼兒會在一歲後接種第一劑的麻疹、腮腺炎、德國麻疹混合疫苗（MMR），入小學前會再接種第二劑，之後到結婚生小孩之前就沒有再補打了。有些準媽媽以為自己已經接種過疫苗，所以不需要再打德國麻疹疫苗了。真的是這樣嗎？

先跟大家介紹「德國麻疹病毒」，它本身雖然「不是很毒」，症狀很輕微，疹子也不癢，但是傳染力非常強！更重要的是，德國麻疹在公共衛生上的問題其實並不是被感染者，而是在胎兒身上。孕婦若在妊娠頭三個月感染德國麻疹，其胎兒有高達九〇％的機會受到感染，其中二五％以上的機會會產生先天性德國麻疹症候群；感染若在懷孕第十六週以前，胎兒則有一〇％到二〇％的機會產生單一先天性缺陷，包括先天性白內障、先天性青光眼、色素性視網膜病變、先天性心臟病、紫斑症、黃疸、脾腫大、小腦症、心智發育遲緩、腦膜腦炎或骨頭病變等等。

在前面的章節我們討論過「疫苗究竟為了誰而打」，這個問題也適用於德國麻疹。得到德國麻疹的病人自己症狀經微，也不會死，就像小感冒一樣輕鬆。但是如果我們都不打疫苗，孕婦就不用出門了，因為她們隨時隨地都可能碰到德國麻疹的病人，在捷運上，在辦公室裡，誰曉得身邊的人，是不是就是造成自己胎兒畸形的兇手？所以國家政策是全民都要打疫苗，保護的不是你跟我，而是那些無法保護自己的胎兒。

美國疾病管制局去年底發表一篇有趣的研究，想知道兩劑MMR疫苗之後的效果，到底有多少人可以持續到十七歲（可能會開始懷孕的年紀）？

寶寶一歲打第一劑疫苗之後，身上的抗體就開始漸漸衰退，到了小學的時候，約四分之一的孩子抗體已經不見了。如果跟台灣一樣在六歲的時候補第二劑疫苗的孩子，持續追蹤到十七歲時，還有將近九〇％身上仍然有抗體，保護力還不錯。這樣的數字告訴我們，如果您二十歲左右要懷孕，有十分之一以上的媽媽可能已經沒有抗體了。

這研究只做到十七歲，拜託！這年頭誰在二十歲前懷孕呢？目前平均三十歲才懷孕的媽媽們，應該有更多的人抗體已經消失。因此，請記得準備生小孩之前，要抽血檢驗德國

麻疹抗體，有需要的補打一劑疫苗，打完一個月以後再懷孕比較保險喔！（但是一個月內不小心懷孕了也沒關係，不需要因此去墮胎！）

6. 蛋蛋出頭天：雞蛋過敏終於可以接種流感疫苗

以前要打流感疫苗之前，很多人都會注意到：對雞蛋過敏的孩子不能接種。然而從二〇一二年開始，雞蛋過敏已經不再是打流感疫苗的禁忌了。

根據統計，在所有年齡層裡，對雞蛋過敏的比例大約是〇．五到二．五％，這比例不可謂不高。在嬰幼兒時期，雞蛋過敏最常造成的疾病就是異位性皮膚炎（atopic dermatitis）的發作，還有一些會引發氣喘。

雞蛋裡的過敏原

雞蛋裡面有五個主要過敏原，四種在蛋白裡，一種在蛋黃裡。這五種過敏原當中，以蛋白中的卵黏蛋白（ovomucoid）和卵白蛋白（ovalbumin）最為重要，而「蛋黃」裡的致敏原並不常見，只有養雞人家才會發生，一般人大部分對蛋黃是不會有過敏症狀的。

很特別的是，有些人只會對生蛋白過敏，煮熟的蛋白則不會，因為卵白蛋白（oval-

bumin）加熱之後會變形，也就無法產生過敏。所以對雞蛋過敏的孩子，把蛋煮熟一點再吃，也許就沒症狀了也說不定。

吃過蛋的孩子才有可能對蛋過敏，因此雞蛋過敏大部分發生在出生六個月大以後。不過現在因為推廣母乳，哺乳的媽媽如果本身吃過雞蛋，母乳裡就已經有雞蛋的蛋白，因此寶寶可能更早就接觸到雞蛋的成分。

過敏的反應大部分發生在接觸後三十分鐘內，最常見就是皮膚出現疹子，尤其在本身有異位性皮膚炎的孩子特別明顯，會突然惡化與搔癢。雞蛋過敏最嚴重的，就是接近休克的程度，但是非常非常地罕見，機率是牛奶過敏休克的一半，花生過敏休克的九分之一。

一位異位性皮膚炎的孩子如果吃到含有雞蛋的食物，引起發作，那麼可以暫停兩個星期嚴格不吃任何含蛋食物。如果兩週後明顯症狀改善，表示雞蛋是罪魁禍首，以後不要再碰。若嚴格禁止吃蛋之後症狀並沒有改善，再吃回去也沒有惡化，表示間接排除雞蛋過敏的可能性。

診斷雞蛋過敏

也許讀者會問，為什麼要這麼麻煩，拿自己身體去試驗，抽個血不就知道了？的確，診斷雞蛋過敏可以抽血測過敏原，不過究竟濃度多高才算是真正過敏？世界上沒有統一的標準，甚至不同研究差別可達數十倍之多。意思是說，就算驗出來陰性，也不代表沒有；驗出來陽性，如果指數不夠高，也不代表有。這樣的檢驗結果相信對家長與醫生而言，都造成很大的困擾。

經由抽血驗出雞蛋過敏的孩子不一定要避免蛋類食物，因為這些孩子吃了六個月的蛋糕之後，九五%的孩子都產生耐受性，從此對雞蛋不再過敏了。因此，抽血對雞蛋過敏指數陽性的孩子，照樣可以先吃少量煮熟的蛋類製品，只要沒有症狀，就可以繼續食用。根據過去的研究，到了十八歲之後，幾乎不會再有人對雞蛋過敏了。

疫苗裡的雞蛋蛋白

流感疫苗之所以會含有雞蛋成分，是因為它們製造的過程中是在雞胚的環境下。內行

人都知道，雖然流感病毒可以感染各種動物，但它一生的最愛還是「鳥類」，雞就是其中之一。當我們把一隻流感病毒打進雞胚後，病毒馬上擁抱它的真愛，迅速繁殖，直到研究員把含有病毒的雞胚抽出來，經過複雜的處理之後，變成我們現在接種的流感疫苗。

就在這萃取的過程中，難免會殘留一些雞蛋的成分，這就是雞蛋過敏不能打疫苗的由來。但是以目前的技術而言，疫苗裡的卵黏蛋白或卵白蛋白的含量普遍來說都非常低，跟三十年前相比，現在一支疫苗中卵白蛋白的濃度是過去的五十分之一，幾乎測不到。

一九七六年，在美國四千八百萬人打了流感疫苗之後，只有十一個人產生過敏性休克（anaphylaxis），其他全部都存活，這還是舊的流感疫苗。從一九九八年至今十多年，有二千六百名雞蛋過敏的人接種過流感疫苗，其中甚至包括二百位曾經雞蛋過敏休克的人，通通都沒發生什麼事。因此，在二〇一一年美國疫苗接種諮詢委員會做出明確指示：從今以後不管任何程度的雞蛋過敏，都不再是接種流感疫苗的禁忌。美國兒科醫學會（AAP）的建議是，只要在醫療院所裡面接種，（若發生問題有人可以救你），就可以施打。

從此以後，雞蛋蛋白過敏的小朋友，都可以放心接種流感疫苗了。

7. 一位醫師引發的疫苗醜聞

一九九八年，在世界頂尖的 Lancet 醫學期刊，有一篇小小的文章造成了很大的震撼。作者是以 Andrew Wakefield 醫師為首的十三名研究人員，標題是「髖淋巴結腫大，大腸發炎，加上全面性發展退化的孩童」。

這篇文章研究對象為十二名三到十歲出現發展退化的孩童（其中十名後來診斷為自閉症），Wakefield 宣稱這些原本正常的孩童，在接種 MMR 疫苗後一天到二週內，開始出現行為上的退化及腸胃道的症狀。在慎重地進行大腸鏡檢驗及切片和脊髓液穿刺之後，Wakefield 醫師自己發明一種新名詞「自閉型腸道發炎」，認為腸胃道的病變與自閉症有關，可能肇因於環境中的誘發因子，直指向罪魁禍首是 MMR 疫苗（麻疹、德國麻疹、腮腺炎三合一疫苗）。

文章刊登後不久，Wakefiled 醫師大張旗鼓地召開記者會，宣稱 MMR 此混合疫苗可能引發自閉症，呼籲應使用單獨的麻疹疫苗（或者各種單獨的疫苗，而不是多合一疫苗），且

不同種類間應間隔一年再施打。當天現場也有準備灑狗血飆淚的戲碼，由參與研究的八位病童家屬配合演出，哭哭啼啼的指責MMR疫苗應負起孩童罹病的責任。

這麼催淚的畫面經媒體報導後，怎能不讓人心痛？英國及愛爾蘭的MMR疫苗接種率因此大幅下滑，英國MMR的接種率在一九九六年本來為九二％，經此事件後部分地區甚至跌至四一％，MMR疫苗宛如過街老鼠，人人喊打。

在媒體強力的放送之下，非專科的醫師也開始受到影響，漸漸無所適從。根據英國二〇〇一年的調查顯示，二六％的家醫科醫師認為政府無法證實MMR疫苗與自閉症無關，足見家醫科醫師在龐大的輿論壓力之下，信心已經開始動搖。只能感嘆隔行如隔山，有關疫苗的問題，當然是應該詢問感染科或是免疫學的專家，因為大部分的醫生對疫苗學其實是一知半解的。

歷史告訴我們，千萬不能小看麻疹病毒。它的傳染力是流感病毒的十倍以上，一個人得病，可以傳染給十二到十八人之多。

一九九八年時因為疫苗的普及，全英國只有五十六名麻疹病例；然而自從全民對

MMR疫苗的不信任，接種率降低之後，到了二〇〇六年光是一到五月就有四百四十九名麻疹病患，並造成一名孩童因感染麻疹而死亡。二〇〇五年英國腮腺炎的病例數已超過五百人，對於已開發國家而言真是個羞恥。以二〇〇六年為例，麻疹及腮腺炎的發生率是一九九八年的十三及三十七倍，並有兩名小孩因感染麻疹造成腦炎引起嚴重的永久性後遺症。二〇〇八年英國宣佈其為麻疹流行地區，該年度光是英格蘭及威爾斯地區麻疹病患人數竟超過一千三百人！

就在MMR事件漸漸成為羅生門的同時，有一位《太陽報》記者Brian Deer卻悄悄發現，事情並不如我們想的那麼單純。二〇〇四年二月開始，Brian Deer接續在《太陽報》、BBC等媒體揭發Wakefield醫師的醜聞，以下是他的驚人發現：

❶十二位病童中，有部分的家屬是經由一位準備對MMR疫苗公司提起訴訟的律師引薦，去找Wakefield的。

❷Wakefield醫師當時正在替MMR疫苗廠的敵對公司做事，幫忙該公司的「單一麻

疹疫苗」申請專利！

❸ Wakefield 醫師當時所屬的研究醫院（Royal Free Hospital），事實上是有收取英國法律援助委員會（UK's Legal Aid Board）所贊助五萬五千英鎊的「研究經費」，卻沒有誠實在文章裡註明。此委員會正在跟 MMR 的廠商打官司，其中的律師還另外給了 Wakefield 醫師一筆四十萬英鎊的錢，希望他能製造對官司有利的證據！

❹ 在二〇〇六年時，英國法律援助委員會終於坦承，自一九九六年起，該組織每年支付 Wakefield 醫師本人「研究經費」，總計已超過四十三萬英鎊！

隨著漸增的報導指出 Wakefield 的理論缺乏科學證據後，信心開始回升。二〇〇四年的調查顯示：八二%的基層醫師針對有自閉症家族史的孩童仍會建議施種 MMR，只剩下二%的醫師認為自閉症可能因為 MMR 所致。

知恥近乎勇，二〇〇四年的時候，當年與 Wakefield 一同掛名在那篇研究的十三名作者，有十名對外撤銷當時研究的結論，認為以當時的資料樣本數過少（只有十二人），無法

證實MMR與自閉症有因果關係。事實上當年這十二名孩子，有些人的自閉症比腸胃道症狀還要早出現，時序根本被扭曲。另外診斷的標準也不足以採信，五名孩子打疫苗前就已經被懷疑有發展問題，還有相關人士進一步爆料，文章中發表的孩童症狀與當時醫院的記載不符。更誇張的是，病理科醫師指認只有一名孩童其腸道的病理切片的確有病變，其餘病童皆為正常。所有被蒙在鼓裡的研究者都指控Wakefield欺騙他們的感情，當時沒有公開其與英國法律援助委員會的利益關係。

事件曝光之後，英國醫學總會（General Medical Council）於二〇〇七年開始召開聽證會，經過三年一百八十七天的聽證會，於二〇一〇年一月二十八日判定Wakefield醫師及另兩位研究人員，違反兒童福利，在未獲完全同意下對病童進行不必要的侵入性檢查，也違背了「利益迴避」的醫學倫理原則。醫學總會判定其研究在「有違道德」的行為失當指控上罪行成立。Lancet雜誌接著於五天後宣佈撤銷一九九八年的該篇文章發表，並指名其研究造假。

一個貪心的醫生，為了一己的私利，找來十二名孩童當做籌碼背書，毒害了全世界的

人。這個謠言經過媒體的報導，在其他國家也影響很多人拒打MMR疫苗，而因此得病。有些嬰兒還不到一歲，連疫苗都沒得打，卻因為身旁得到麻疹的小朋友傳染給他，而產生永久的後遺症。

為了消弭這項荒謬的謠言，全世界針對MMR與自閉症間的關連性，至少進行了二十個大型研究或分析，美國CDC、IOM、National Academy of Science、英國National Health Service、Cochrane Library、Canadian Paediatric Society及美國兒科醫學會皆陸續發表，認為沒有證據顯示MMR疫苗與自閉症相關。這些研究浪費了多少金錢、人力、物力，依然擋不住八卦的威力，到現在只要有人反對疫苗，就會把自閉症拿出來老調重提。

這個故事告訴我們，不管說疫苗好，或說疫苗不好，都應該要有證據。尤其是有醫療背景的人士，更要小心謹慎，因為一般民眾很難分辨真偽；萬一說錯了話，其所造成的影響可能長達數年，而傷害卻已無法彌補。

第10章

黃醫師的叮嚀

1. 抗生素的歷史與哀愁

在〈第一課：大家比一比〉這篇文章中，我曾經提到，造成人類生病的病原體大致分為：寄生蟲、黴菌、細菌與病毒。在這四種微生物當中，人類與細菌感染的戰爭故事最為高潮迭起。一百年前，我們曾一度以為要大獲全勝；想不到一直到今天，這場戰役的戰況依然膠著。

在二十世紀以前，因為沒有抗生素的發明，若是得到細菌感染，結局通常是「沒死也帶傷」。人類碰到細菌，只能聽天由命，結果造成戰爭時在醫院因感染細菌而死的軍人，竟比死在戰場上的軍人還要多。

這樣一面倒的局面，在二十世紀初有了戲劇化的轉變。一九二八年八月，有一隻上帝派來的黴菌，緩緩的降落在弗萊明博士（Alexander Fleming）用來培養金黃色葡萄球菌的培養皿中。一個月後，弗萊明發現了一個奇特的現象：那塊發霉的培養皿周圍，竟然沒有細菌的菌落！心思縝密的他馬上推測，這隻黴菌一定是釋放了某種物質，讓細菌無法生長；

而這種物質，正是人類戰勝細菌感染的轉捩點。十年後，弗洛理（Howard Walter Florey）和錢恩（Ernst Boris Chain）兩位科學家，成功的提煉出青黴素，也就是大家耳熟能詳的盤尼西林（penicillin）。這三位發明抗生素的先驅，也因而同時獲得諾貝爾獎的殊榮。

青黴素的發明，讓人類士氣大振，大量的使用抗生素來救治感染症患者，以為靈丹妙藥從此無往不利。然而細菌也不是省油的燈，青黴素上市還不到四年，就有第一隻抗藥性的金黃色葡萄球菌出現了。

沒關係，除了青黴素，還有很多其他的抗生素一一問世，包括磺胺類藥物、鏈黴素、四環黴素、紅黴素、萬古黴素、奎諾酮等等。而青黴素這類的抗生素，還進化為第一代頭孢子素、第二代、第三代，現在已經到了第五代。就算細菌躲得過第一劍，也躲不過第二劍、第三劍吧。

很不幸地，細菌的演化竟然比我們想像得還要聰明，也比我們想像得更快速，不管人類發明再多抗生素，細菌總能用最奇特的方法產生抗藥性。更悲慘的是，人類發明抗生素的能力，也漸漸黔驢技窮；雖然二十世紀初抗生素的發明如雨後春筍，但自一九六二年至

今，老狗玩不出新把戲，只有兩類新的抗生素問世，這下真的糟糕了！

二〇一〇年有一隻超級細菌NDM1在報章雜誌上吵得沸沸揚揚，因為市面上已經沒有任何一種抗生素可殺死這隻細菌。如果我們碰到了這隻細菌感染，就像是回到沒有抗生素的十九世紀，只能聽天由命，期望自己的抵抗力可以打贏它。這並不是特例，台灣的加護病房早就有一隻全世界最毒的AB菌，任何抗生素對它都已經沒效了。醫師甚至搬出五十年前的老藥——因為嚴重副作用而被拋棄的抗生素，拿出來死馬當成活馬醫，這真是情何以堪啊！

到這時候再來怪誰濫用抗生素，造成現在抗藥性的問題，都也已經是過去式，不重要了。老實說，如果高燒不退，躺在病床上的是您的親人，在那個年代管他生什麼病，抗生素打下去就對了，救命要緊。誰還會管他抗藥性是什麼東西呢？

好吧，就算不去歸咎歷史的錯誤，身處在二十一世紀的今天，我們還是可以做一些改變。而這改變，可以先從建立正確的抗生素知識開始。

觀念一：抗生素只能殺細菌，不能殺病毒

在兒科的感染症當中，九〇％都屬於病毒感染，不需要抗生素的治療。以前的人，也許是病毒、細菌傻傻分不清楚；但現在醫學愈來愈發達，醫師的經驗也因為世代傳承而愈來愈老練，我們可以藉由臨床的症狀，或一些簡單的檢驗，就能大致分辨出病人屬於病毒感染或細菌感染。比如說，流感快篩顯示陽性，就表示為病毒感染，大概不需要使用抗生素（克流感不屬於抗生素）；若是A型鏈球菌快篩顯示陽性，表示抗生素非開不可。這樣一來，抗生素的使用量就可以被控制在合理的範圍，抗藥性的惡化情形也就不會太快。

觀念二：儘量將廣效的抗生素留給嚴重的病人使用

很多人以為，第二代抗生素一定比第一代有效、第三代又比第二代有效，因此喜歡使用最新的藥物，其實都是錯誤的迷思。新舊抗生素的差別，是在於它的抗菌範圍，而不是藥效的強弱；就像有功夫的老廚師，就算只用鹽巴，也能炒出一盤好菜，總不能每道菜都用XO醬吧！我們小兒感染科醫師，到現在還是常常使用一百年前的青黴素治療病人，只

要診斷準確、劑量妥當，效果一樣好得不得了。

說來容易，做起來可不簡單。如今抗生素的使用，已漸漸成為一門高深的藝術，而不是「用與不用」的二分法了。人類與細菌的戰役，誰贏誰輸，就看這場抗藥性危機是否能順利過關了。

2. 我家小孩老是被開抗生素

台灣的抗生素濫用問題是舉世聞名的。身為感染科醫師，宣導正確的抗生素使用更是責無旁貸。

首先必須了解一項重要的觀念：抗生素只能殺細菌，不能殺病毒。在兒童，九五％的發燒個案都是病毒感染，所以您如果因為發燒就醫，應該只有五％的機會需要用到抗生素。另外，九〇％的喉嚨痛，以及幾乎所有的感冒，也都是病毒感染所引起。

真正的細菌感染，在兒科病人裡常見的有：中耳炎、鼻竇炎、一〇％的扁桃腺炎、肺炎，以及泌尿道感染。抗生素的濫用最常見的狀況是：醫師套用上述的五種疾病來診斷您的孩子，然後開立抗生素。問題是，您的孩子真的得到這些細菌感染嗎？

首先，中耳炎。中耳炎的診斷絕對不是「耳膜比較紅」就是發炎。事實上，孩子哭鬧耳膜也會紅，清完耳屎後引此耳道的刺激也會紅，發燒耳膜更會紅；還有更誇張的，根據《美國家庭醫學雜誌》（AAFP）二〇〇〇年的報告，有三分之一的醫生已經兩年沒換耳

鏡的燈泡，有二分之一的醫生使用的耳鏡已經沒電了；燈泡不亮更是使耳膜看起來很紅的原因之一！

美國小兒科醫學會明確的規定，中耳炎的診斷需要符合三項條件（全部符合）：急性發作、有中耳積液、有中耳發炎症狀（如疼痛或者耳膜發紅）。家長沒有耳鏡，所以雖然「急性發作」加上「耳朵很痛」可能符合一、三項，但是第二項就只能由醫生間接告訴您他的觀察。即便如此，根據中耳炎的治療規範指出，若是兩歲以上的孩子得到中耳炎，其實可以先用止痛藥兩天，不需要馬上吃抗生素，這一點倒是可以由家長提出來與醫生討論。兩天之後，有很多孩子的中耳炎就不藥而癒，當然也不需要吃抗生素了，豈不樂哉？

第二個常常被投予抗生素的疾病，就是鼻竇炎。一般人有個常見的錯誤觀念：「黃鼻涕」就表示有鼻竇炎，需要吃抗生素。事實上，黃鼻涕才不等於鼻竇炎呢！任何的感冒，或者過敏性鼻炎，都可能會有黃鼻涕。根據美國小兒科醫學會二〇〇一年的指引，診斷鼻竇炎需要符合下列兩種狀況之一：

❶ 黃鼻涕十天以上，或者有鼻涕倒流造成咳嗽十天以上。

❷ 黃鼻涕雖然只有三天，但是有高燒攝氏三十九度，或者孩子感冒病情突然惡化。

如果符合上述其中一項，那麼使用抗生素便是相對合理的，若沒有按照這個標準診斷鼻竇炎，那麼猜錯的機率可能很高，抗生素也因此濫用了。根據二〇一二年的一篇研究顯示，九〇%所謂的鼻竇炎，其實都不是細菌感染，這份報導簡直揙了全台灣耳鼻喉科與小兒科醫師各一個耳光。

那麼用X光或電腦斷層來診斷鼻竇炎，會不會比較準確呢？答案也是否定的。一九八九年美國的 Dr. Glasier 發現，曾經在過去兩週有感冒過的孩子，他們的鼻竇在電腦斷層下看起來都像是在發炎。這表示即便正常的孩子，他們的鼻竇攝影也可能是異常的，這樣的檢查根本不準。因此回歸到基準點，除非臨床上符合上述兩點鼻竇炎的診斷，需要進一步影像檢查來輔助，否則X光也不需要照。

至於扁桃腺化膿，也是一個常常被濫用抗生素的漏洞，我們在喉嚨的細菌那一章節已

經討論過。扁桃腺化膿就是細菌感染嗎？早在一九六六年就已經有文獻指出，若是三歲以下的幼兒得到扁桃腺炎，是細菌感染的機會實在非常低，大部分還是病毒感染，基本上這對醫生來說已經是常識。若是三歲以上的孩子，化膿性扁桃腺炎約有一〇%是需要治療的細菌感染，意思就是孩子因為喉嚨發炎看醫生十次，應該只有一次需要使用抗生素！我根據國外的研究，在網路上架設了一個評分系統。如果您的孩子有喉嚨發炎的症狀，家長可以藉由這個網路問卷，預測孩子是屬於A型鏈球菌感染，抑或是一般病毒感染。網址是http://www.readingtimes.com.tw/VH0001。

有些人跟我說，「醫生，我也知道抗生素不好，可是我的孩子吃了真的有效。」那麼以下是幾個可能性：

❶某一次孩子真的是細菌感染，從此以後您就信以為真，每次都要求醫師開抗生素。

❷孩子的疾病本來就要好了，只不過正好吃了抗生素，誤以為是抗生素的效果。

普通感冒的孩子約有一〇%會併發中耳炎，約有一%會併發鼻竇炎，少於一%會併發肺炎（或者叫做支氣管肺炎）。也就是說，一個好的醫生，處方中有抗生素的機率應該只有十分之一左右。抗生素的濫用，會讓孩子身上的細菌愈來愈強，愈來愈有抗藥性。每次才一點點感冒就使用抗生素，就像棒球比賽裡，一有狀況就換王牌投手，那麼到了九局下半，牛棚就會沒有救援投手可用了。那時候，您也只能無助的期盼比賽趕快結束，卻也無計可施。

小提醒

目前台灣雖然已經有一些舉世聞名的抗藥細菌，但其實做父母的不需要害怕，以小兒科的感染症而言，抗藥性問題並不比老人嚴重，還不致於無藥可用。但孩子的人生才開始一局上半，還是要保留一些武器，才能對抗繼續接下來的比賽。

3. 醫生，你這麼想割我的扁桃腺嗎？

我常常在門診被問到割扁桃腺的問題，不如就趁這個機會宣導一下正確的觀念。

每年在美國有超過五十萬顆扁桃腺被割掉，這個數字真是驚人！究竟這些扁桃腺手術，哪些是應該割，哪些又是無辜的被切掉？

一般兒童只有兩種狀況會考慮切除扁桃腺：第一，有睡眠呼吸中止症。第二，有反覆扁桃腺發炎。簡單來說，當反覆發生這兩種疾病時，若是嚴重到影響兒童的生活品質時，就是切除的時機點。

反過來說，扁桃腺切除術也是會有一些副作用，包括：手術後疼痛或出血、術後噁心感與嘔吐、術後無法進食、聲音改變等等。因此，衡量孩子因為疾病折騰所承受的痛苦，必須遠高於手術本身帶來的痛苦，這樣去切除扁桃腺才有意義。這裡必須提醒天下父母心，我們要衡量的是「孩子的感受」，而不是「爸爸媽媽的感受」；有時候孩子本身覺得疾病本身沒什麼不舒服，反而是爸爸媽媽緊張兮兮的，這時心態就要調整一下。

根據美國耳鼻喉科學會所建議，兒童切除扁桃腺的時機如下：

❶反覆扁桃腺發炎的次數，若過去一年不到七次，或連續兩年每年不到五次，或連續三年每年不到三次，就都可以再等等，不用割除。

❷如果超過上述的頻率，而且每一次扁桃腺發炎都有發燒超過攝氏三十八．三度，或有頸部淋巴結腫大，或者扁桃腺化膿，或者都是A型鏈球菌感染，只要其中符合一項，就可以考慮切除扁桃腺。

❸如果頻率有達到標準，但是沒有上述第二項所描述的這麼嚴重，那麼大部分不需要施行扁桃腺切除術，除非這個孩子對多種抗生素過敏，或者無法服藥，或者有一些自體免疫的特殊體質，或者曾經化膿細菌侵犯到深層頸部，在這些特別的情況也考慮割除。

❹至於扁桃腺腫脹到產生睡眠呼吸中止症的孩子，切除前醫師必須先評估睡眠中止的嚴重度，包括睡眠檢查（polysomnography），白天有無嗜睡，注意力不集中，過動，生長遲緩，學業成績不良，夜尿等等症狀。

如果經過醫師評估有上述問題，則應接受扁桃腺切除術，但是切除後並不代表睡眠呼吸中止症就完全不會發生。

從上面的準則可以看出，大部分兒童都不符合扁桃腺切除術的標準，就我門診的經驗，很多孩子的扁桃腺都是不明究理地被白白切掉了。

兒童的扁桃腺本來就比較腫大，等到年紀稍長，幾乎都會自然的萎縮，所以奉勸只是反覆扁桃腺發炎兩三次的孩子家長，千萬不要衝動啊！

4. 懷孕生子時養寵物之必備知識

單身的時候，或是剛結婚的小倆口，家裡養隻貼心的寵物是很棒的事。然而當媽媽開始懷孕之後，難題就來了：難道寶寶和狗狗貓咪，只能二選一嗎？

過敏體質的問題先不談，我們今天只談感染的問題。

有一位懷孕的媽媽，家裡養了一隻貓。主人跟貓感情很好，即使已經身懷六甲了，依然保持讓貓咪同床睡覺的習慣。不久之後，寶寶提前早產，看起來較瘦小，以及黃疸。幾天之後，醫師發現孩子有抽搐的現象，經過超音波與電腦斷層證實，腦部有許多散在的鈣化點。於是一切真相大白：寶寶患有先天性弓漿蟲症，在媽媽肚子裡就被感染了。

弓漿蟲是一種寄生蟲，最大的宿主就是貓咪。台灣地區約有二五%的貓咪感染過弓漿蟲，人類則有一〇%，比率非常的高。弓漿蟲的卵會從貓咪的便便排出，主人在清理貓沙或玩耍的時候，很有可能就汙染了雙手，進而吞到肚子裡去。如果不幸在懷孕前三個月時感染的話，那麼寶寶就會有先天性的異常，包括早產、視力受損、水腦症或癲癇等等。

嚇到大家了嗎？別怕別怕，我已經將與兒童最嚴重的人畜共通疾病講完了。如果您的孩子已經平安長大，顯然也沒有上述的疾病問題，那麼接下來就沒有更恐怖的部分了。

寵物的注意事項

一般狗貓之類的寵物，可能帶有的健康威脅來自四個地方：皮膚、爪子、糞便和口腔。

皮膚是最容易理解的，因為眼睛看得到。一位愛護寵物的主人，一定會定時幫牠洗澡，並定時幫寵物除蚤。只要有完成這些措施，就能避免一些皮膚的疾病傳播到小孩身上。

至於爪子抓傷，一般人馬上想到「貓抓熱」，是一種叫做巴東氏細菌（Bartonella henselae）所感染的疾病。雖然貓抓熱經常是「幼貓」抓傷導致，但是「老貓」，或是狗抓傷，也有可能感染之。即便這疾病的名稱看似恐怖，但幾乎所有的免疫正常孩子感染之後都能自行痊癒，而不需要抗生素治療，顯然並不如大家想像的那麼嚴重。有時候兇手並不是家裡養的寵物，而是在小朋友在馬路邊跟流浪貓玩耍，左手背被抓傷，看起來傷口並不嚴重，一開始不以為意。一兩週之後（甚至長達兩個月後），小朋友左邊腋下的淋巴結就腫

起來了，不止疼痛，還會發燒畏寒。這時候如果醫生診斷正確，雖然不見得需要治療，但是吃抗生素可以稍微縮短疾病的病程，也算是減輕痛苦的另一種選擇。

第三個是糞便，其實寵物的糞便才是最經常威脅到兒童健康的來源。寵物的飼料，或是主人剩下的廚餘，常常都受到細菌的汙染，其中不乏會感染人類的「沙門氏菌」、「彎曲桿菌」等等。這些細菌吃進寵物的肚子裡之後，也許不會有很明顯的腹瀉，但是主人在處理牠們的糞便時若沒有特別小心，很容易就汙染了雙手，進而傳染給抵抗力較差的小孩。有些小嬰兒明明還在喝奶，卻感染了沙門氏菌腸炎，一問之下家裡有養寵物，我就心知肚明了。寵物的糞便裡還有一些比較罕見的寄生蟲（如犬蛔蟲），也會感染人類，但機率並不太高，留給我們感染科醫師拿來說說嘴賣弄學問而已。

最後就是口腔，乃寵物身上第二骯髒的位置。狗狗會用舌頭去舔屁股這件事已經不是什麼新鮮事，而貓咪幫自己「擦澡」的時候也是舔遍了全身；你想牠剛剛才從貓沙裡走出來，舌頭舔的還會是什麼好東西。既然口腔裡帶有糞便裡的細菌，若是讓寵物舔小朋友的臉，舔完用手往臉頰一抹，回頭馬上伸手吃零食點心，豈不把沙門氏菌又吃下了肚！口腔

的另一個危機就是牙齒，如果不幸被家中寵物咬傷，很有可能得到巴斯德菌的蜂窩性組織炎（就是一隻平常住在狗貓口腔裡的細菌），抗生素要治療七到十天，又是另一場夢魘。

上述四大感染途徑雖然駭人，但是我並非主張不可以同時生小孩與養寵物，而是了解原因之後，防範措施要做好，才不會輕易地讓孩子暴露在危險當中。以下是美國兒科醫學會網站所建議的規範，我整理給各位家長參考：

❶ 寵物餵食的地方不可以在煮飯的廚房裡，裝飼料的碗更不可以放在廚房。

❷ 餵食寵物前與後，都要用肥皂或酒精洗手。五歲以下的小朋友洗手，要在家長監視之下，不能隨便亂洗。

❸ 清理寵物的糞便後，要用肥皂或酒精洗手。寵物若有腹瀉，要帶去獸醫檢查是否有沙門氏菌感染。

❹ 跟寵物玩耍不要太激烈，以免被抓傷。玩耍之後要洗手。

❺ 不要讓寵物舔、親吻、咬您的手，更不可以舔小孩的臉。

⑥寵物要定期給獸醫師檢查，以及打預防針（然而上述的疾病都沒有疫苗可預防）。

當然這些規範也適用於參觀動物園，以及面對路邊的野生動物。根據統計，三〇%養寵物的家庭，孩子和寵物會一起吃東西，另有二一%的家長讓寵物舔孩子的手或臉，表示一般民眾對於養寵物與兒童健康安全仍不熟悉。

近年來有些人甚至開始豢養一些特殊的寵物，比如說爬蟲類（蜥蜴、烏龜），兩棲類（青蛙），野生動物（刺蝟）等等。這些動物更是沙門氏菌的大傳染源，以及其他族繁不及備載的細菌們。美國疾病管制局建議家中若有五歲以下的幼童，或是有免疫不全的成人與老人，就不應該飼養這些原本屬於野生的動物，請家長三思而後行。

有讀者可能疑惑着，怎麼整篇文章沒提到狂犬病？嗯，這就是處於海島國家的好處：因為帶有狂犬病的狗，游不過太平洋與台灣海峽，所以目前台灣的狗應該是都沒有狂犬病，大家可以放心。但狂犬病並不限於狗，其它哺乳類動物都可能會有，因此未來如果不幸有本土的狂犬病發生，我的文章可能又要增加篇幅囉！

國家圖書館出版品預行編目資料

唉唷！這些惱人的小麻煩：輕鬆搞懂疫苗、流感、
細菌與病毒／黃瑽寧著 . -- 第一版 . -- 臺北市：
天下雜誌 , 2012.06
面；　公分 . --（家庭與生活系列；001）
ISBN 978-986-241-537-5（平裝）

1. 微生物學　2. 免疫學　3. 通俗作品

369　　101009999

訂購天下雜誌圖書的四種辦法：

◎ 天下網路書店線上訂購：www.cwbook.com.tw
會員獨享：
1. 購書優惠價
2. 便利購書、配送到府服務
3. 定期新書資訊、天下雜誌網路群活動通知

◎ 在「書香花園」選購：
請至本公司專屬書店「書香花園」選購
地址：台北市建國北路二段 6 巷 11 號
電話：(02) 2506 － 1635
服務時間：週一至週五　上午 8：30 至晚上 9：00

◎ 到書店選購：
請到全省各大連鎖書店及數百家書店選購

◎ 函購：
請以郵政劃撥、匯票、即期支票或現金袋，到郵局函購
天下雜誌劃撥帳戶：01895001 天下雜誌股份有限公司

* 優惠辦法：天下雜誌 GROUP 訂戶函購 8 折，一般讀者函購 9 折
* 讀者服務專線：(02) 2662-0332（週一至週五上午 9：00 至下午 5：30）

家庭與生活 001

唉唷！這些惱人的小麻煩
輕鬆搞懂疫苗、流感、細菌與病毒

作　　者／黃瑽寧
責任編輯／陳佳聖
美術設計／集一堂 張士勇、倪孟慧
插　　圖／薛慧瑩

發　行　人／殷允芃
親子天下總編輯／何琦瑜
出　版　者／天下雜誌股份有限公司
地　　　址／台北市 104 南京東路二段 139 號 11 樓
讀 者 服 務／（02）2662-0332　　傳真／（02）2662-6048
天下雜誌 GROUP 網址／ http://www.cw.com.tw
劃 撥 帳 號／ 0189500-1 天下雜誌股份有限公司
法 律 顧 問／台英國際商務法律事務所．羅明通律師
排 版 印 刷／中原造像股份有限公司
裝　訂　廠／政春實業有限公司
總　經　銷／大和圖書有限公司　電話／（02）8990-2588
出 版 日 期／ 2012 年 6 月第一版第一次印行
　　　　　　2012 年 6 月第一版第二次印行
定　　　價／ 280 元

書號：BCCEF001P
ISBN：978-986-241-537-5

購買天下雜誌叢書：
天下網路書店：www.cwbook.com.tw **親子天下網站：**www.parenting.com.tw
書香花園（直營門市）：台北市建國北路二段 6 巷 11 號（02）2506-1635
天下雜誌童書館及訂閱親子童書電子報，請上：http://www.cwbook.com.tw/kids/

天下雜誌
觀念領先